BEYOND THE VALLEY

シリコンバレーを越えて

下

ラメシュ・スリニヴァサン＝著

大屋雄裕＝監訳　田村 豪＝訳

次世代の革新家がめざす
デジタル新技術と平等社会

NEWTON PRESS

Japanese translation published by arrangement with Ramesh Srinivasan ℅
The Science Factory Limited through The English Agency (Japan) Ltd

シリコンバレーを越えて

下

第 4 部

すべての人のための
インターネット

不平等を克服する

第17章　ネットワークのパワーをローカルに保つ

オバマ政権時の2015年2月26日，アメリカ連邦通信委員会（FCC）は，すべての人がインターネット回線に完全かつ平等にアクセスできることを保証するために，ネット中立性の保護規則を採択した。この勝利は画期的だったが短命だった。2017年12月14日，トランプが任命したアジット・パイ同委員会委員長は，それらの規則を覆す決定を発表した。このFCCの決定で，インターネットサービスプロバイダー（ISP）は，ユーザーとコンテンツの提供者に異なる料金を請求し，コンテンツにより回線の速度とアクセスしやすさを変えることが可能になった。

アメリカ自由人権協会（ACLU）は，この決定が「強力な通信大手の利益追求の気まぐれの犠牲になっている」と批判した。ネット中立性の保護規則がなければ，ISPは「論争の的になる視点や小規模なウェブサイトを冷遇し，よりよいアクセスのためにお金を払えるコンテンツプロバイダーを優遇することができる」。

しかし，危機には新たな可能性も生まれる。ネットの中立性をめぐって困難な闘いを遂行するだけではなく，中小企業やユーザー・コミュニティ自身がネットワークをつくり，インターネットへのアクセス方法の設計，構築，展開，管理の権限を握ることができたらどうだろうか？

このようなことが，世界中のあちこちで起きている。農村部のコミュニティは穀物のサイロや高い木のうえに無線インターネットのアンテナを設置している。アメリカで最も速いインターネット接続は数十億ドル規模の企業ではなく地方自治体によって提供されている。アメリカ先住民のコミュニティは，使われていないテレビ放送の周波数を利用してインターネットにアクセスしており，彼ら自身が管理するデジタルネットワークを構築しているのだ。インドネシアの西パプアのような僻地(へきち)でもネットワークが構築されている。このようなコミュニティネットワークは，アメリカを含む世界の多くの地域で合法である。デジタルメディア「ヴァイス」の記者ジェイソン・コーブラーは語る。「大手通信会社に無視されたコミュニティが，独自のインターネットネットワークを構築したり，小規模ISPと提携して全国の町や都市に手頃な価格の高速インターネットを提供したりする方法は無数にある」。

コミュニティが独自のネットワークを構築したい場合に必要なものは何か。ネットワークは通常，電力へのアクセスが必要なほか，データネットワーク，インターネットネットワーク，ワイヤレスアクセスポイント，光ファイバー回線のいずれかと物理的につながれていなければならない。アクセスポイントは，無線ローカルエリアネットワーク（WLAN）を作成し，ルーターが接続したネットワークを拡張できるようにする装置であり，光ファイバー回線は光ファイバーを通過するパルスを介して情報を伝送する装置だ。

コミュニティネットワークを持続可能なものにすることは，技術だけの問題ではない。スキル，デジタルリテラシー，リーダーシップ，技術的知識を伸ばしていくことも必要だ。インターネットへのアクセスも重要である。インターネットに接続できなければ，コンピュータはタイプライター程度のものに過ぎない。請求書の支払い，就職活動，オンラインに移行した重要な情報やサービスへのアクセスには使えない。

私はこの章を，都市計画を専門とする学者であり，コミュニティの組織化と社会変革に尽力する研究者であるアディティ・メータと共同で執筆した。これ以降のページでは，コミュニティネットワークの世界から得たいくつかの物語と私たちの洞察を紹介していく。

共同執筆：アディティ・メータ

ネットワークのマルチタスク化

コミュニティネットワークは技術的にも社会的にも驚異的なものだ。このインフラストラクチャが構築される理由には，新たな雇用の創出，デジタルリテラシーの向上，近隣住民の声の増幅，地域コミュニケーションの支援，経済発展や災害への備えの促進など，さまざまなものがある。

しかし，私たちはコミュニティネットワークを偶像化したり，「コミュニティ」という言葉を，本書内で提起したテクノロジーや不平等についての多くの懸念を解決できる万能薬であると考えるべきではない。世界中のさまざまなコミュニティネットワークは，その依存関係，経済モデル，政治的現実という点で区別できる。コミュニティを基盤とするネットワークのなかには，実際には政府によって管理・監督され，国家の目的を支援するように設計され，おそらくは市民の福祉を犠牲にしているものもある。北朝鮮や中国，キューバのような国のネットワークを考えてみよう。これらの国でユーザーがより広いインターネットにアクセスするためには，国家の提示する条件に従わなければならない。このようなネットワークは検閲や監視の対象になりやすいため，それぞれの地域がテクノロジーとの間に築こうとする経済的，文化的，政治的関係にとって最も適切なのはどのようなネットアクセスかを決めようとするコミュニティの力とは対立している。

コミュニティネットワークは，ユーザーが情報を共有し，より広いインターネットへのアクセスにかかる費用を分担できるようにする。ある街区や地域の住民が情報を保存・アーカイブし，インターネットへのアクセスに依存しているさまざまな教育・文化・政治・経済的な機会をつかむことができるようにする。ユーザーは，ネットワークを介してサービスを交換するビジネスを構築できる。また，先住民族のコミュニティの場合のように，消滅の危機にさらされている言語や伝統を保存するためにネットワークを利用することもできる。これらのネットワークは，「開かれた，自由な，中立的な」共有物として，公共サービスや公共事業の形をとることができる。この論理によれば，これらのネットワークは，分権化された，手頃な価格の，地域が所有するインターネットインフラになる可能性を秘めている。

ユーザーへのサービス提供とサポート

20年近くコミュニティネットワークを探究してきた研究者であり政治運動家でもあるサシャ・マインラスは，「他者の犠牲を顧みず利益を追求すること」を重視するようなデジタルの未来の危険性を説いてくれた。その一例として「災害資本主義」を考えてみよう。ハリケーンや地震，火災などの被害を受けた人々が，誰かに助けを求めなければならなくなったとき，支援を必要としている人々にサービスを届けることなく，民間企業が資金を得ることになってしまうかもしれない。しかしコミュニティは収奪される代わりに，たとえばメッシュネットワーク（階層をもたずに直接・動的にデータをやりとりするような，相互接続された点の集まりと考えてほしい）のような，独自の強靭さをもつ解決策を作成し，維持することで対応することもできる。メッシュネットワークは，たとえば2005年にアメリカ南部の湾岸地域を襲ったハリケーン「カトリーナ」のあと，被災者を支援するために登場した。

ベルリン，アテネ，バルセロナのような場所では，独立したメッシュネットワークが，完全なインターネットアクセスがない地域のサービスを拡大したり，自然災害でISPが活動を禁止されたり機能していない間にもサービスを提供したりするために，長年にわたって使用されてきた。多くの場合，メッシュネットワークは，一つのルーターが損傷して停止しても，残りのルーターが互いに接続されるため，災害を乗り切ることができる。「ゲートウェイ」となるノード*がインターネットにアクセスできなくても，ルーター間にはイントラネット，つまりローカルに接続されたネットワークが存在し，ユーザーは通信，計画，組織化を迅速に行える。たとえば，ニューヨーク州ブルックリンのコミュニティネットワーク「レッドフックWi-Fi」は，2012年のハリケーン「サンディ」後に近隣で機能していた数少ない通信インフラの一つであり，その後，将来の災害に備えて近隣を支援するために拡張されている。また，「ウォール街を占拠せよ」や香港の雨傘運動などの抗議活動の際にも，メッシュネットワークは独立した通信ネットワークを構築するために展開されてきた。活動家にとっては，警察の監視を回避できることがメッシュネットワークの魅力の一つだ。

---

*メッシュネットワークとインターネットの結節点になる機器。

メッシュネットワークは分権化されているため，どれだけの数がどこに存在するのかを知ることは困難である。しかし，ネットワークの作成者は，ハッカーやフリーソフトウェア，オープンソースのコミュニティの多くの人たちと同様に，初期のインターネットで最も大事だったこと，つまり利用者が目的を果たして欲求を満たすために奉仕するのを最優先とすることに関心をもっている。

●デトロイトのコミュニティ

テクノロジー・プロジェクト・デトロイトのダイアナ・ヌセラは，地元では「マザー・サイボーグ」として知られている敏腕の技術者であり，地域活動家でもある。1980～1990年代，自由貿易協定によってゼネラル・モーターズ，フォード，クライスラーが海外に事業を移転した際にデトロイトに取り残されたほかの人々と同様に，ヌセラはシリコンバレーの技術者たちとはほとんど共通点がないように見えるだろう。

内陸部の都市で見捨てられたのは貧困層で，黒人やヒスパニックの人々が特に多かった。彼らは職と，職が提供するセーフティネットを失っていた。その結果，街の複数の区画が見捨てられ，ギャングと麻薬活動に乗っ取られた。建物の入り口は板で塞がれ，近隣地域やコミュニティは危険にさらされた。さらにフリント（デトロイト工業地帯の隣接都市）の飲料水が鉛に汚染されていたという不穏なニュースも最近あった。ヌセラの同僚が『ヴァイス』のケリー・ロジャーズに語ったように，「すべての技術が剥奪されている。食料，家，服，保護施設，クソッ，（俺たちは）すべてのものを床から天井までつくらなけりゃならない」。

2014年，ヌセラと彼女のチームは，コミュニティにサービスを提供し，支援するための技術を開発するため，「公平なインターネットイニシアティブ」「メディア同盟プロジェクト」と共同で「デトロイト・コミュニティテクノロジー・プロジェクト」を結成した。テクノロジーについての啓発は，若者に基本的なリテラシーと教育を提供し，パートナーや顧客を探している中小企業を支援するという全体的な目標の一部に過ぎない。このチームは，貧困で社会的に疎外されたデトロイト中心部の七つの地域にメッシュネットワークを導入し，25人以上の地域のリーダーを訓練してきた。これらのネットワークは，民間のISPが提供するものをしばしば上回る速度と品質を提供している。しかし，アクセスを向上させること以上に重要なことがある。ヌセラが説明するように，このプロジェクトは，「分権化された方法でインターネットを所有し管理しなければ」直面することになるリスクの解消に取り組んでいる。

デトロイトの労働者階級の人々は，世界中の貧しい地域や農村地域の多くの人々と同様に，いき詰まっている。彼らはサービスをまったく受けられないか，何のコントロールも及ばない経済的条件に同意せざるを得ない。デトロイトでは，富裕層は非富裕層の100倍の速度で帯域幅を使用しているが，最貧層は完全に蚊帳の外に置かれているか，せいぜい低質なサービスを受けるぐらいが関の山だ。しかし，ヌセラと彼女の友人たちによってつくられたコミュニティネットワークは，逆の論理で運営されている。もっているものが少なければ少ないほど尊敬され，受け入れられるに値するのだ。

デトロイトのコミュニティネットワークは，利用者の主権と自己決定の拡大を支援するためにデザインされたもので，注目を集め続けている。このようなネットワークが世界中に広がっていくことを考えれば，民間や企業に支配された現在のインターネットとはまったく異なる未来が見えてくるかもしれない。ヌセラは，そのようなビジョンが可能であると考えている。それは，市民の倫理観や価値観に真に根ざした未来のインターネットであり，都市や非営利組織，慈善家，コミュニティの組織者，企業の内外でのコラボレーションを促進するものだ。

●カタルーニャのギフィ・ネット

アディティと私はまた，世界で最も有名なメッシュネットワークの一つで，2003年から活動しているカタルーニャ州のギフィ・ネットの課題，可能性，そして将来について直接学ぶ機会を得た。最初ギフィは奇妙な名前だと思えたが，のちに知ったところでは，この名前はカタルーニャ語で発音した「Wi-Fi」のことだ。

ギフィ・ネットの管理者であるラモン・ロカとロヘル・バイグ・ヴィニャスは，初期のコミュニティネットワークが，機会を生み出すための社会的に共有された空間というより技術的な課題として見られることが多かった，と説明してくれた。ロカとヴィニャスが発見したところでは，分散型メッシュを構築するという技術的な目標は，ネットワークを制御する権力を分散させることと同じではない。彼らの仲間であるカタルーニャ人をサポートするための最善の方法は，技術的な仕様にはあまり焦点を当てず，代わりにどのようなインターネットアクセスがコミュニティのメンバーのためになるのかを理解することだった。

ギフィ・ネットのネットワークは今では成長し，ネットワークが機能している地域のリーダーや参加者のグループと協力して活動している。2018年現在，10万人以上のユーザーにサービスを提供している。ロカとヴィニャスは，彼らの取り組みを「有機的」なものと表現している。ネットワークは，個人が所有・運営するのではなく，コモンズ（共有地）であるため，人々や組織は自分たちに合った形でイノベーションを起こすことができる。その結果，多くの営利企業や非営利事業が誕生し，地域全体で人々が雇用され，技術に関するリテラシーや知識が広まっている。ロカとヴィニャスによると，このことによって，「主体性と自己決定」の価値観が重要なネットワークを構築し，維持することが可能となる。「あなたはユーザーなのだから，ドライバーであるべきだ……テクノロジーの行き先を決めるべきなのだ」。

ギフィ・ネットの創造者たちは，コミュニティが所有するネットワークを人権の一種として捉えている。コミュニケーションと情報へのアクセスは，私たちの世界の誰にとっても基本的なニーズだ。しかし，アクセスをもつということには，「オンラインになる」ということ以上の意味がある。それは本質的にコストとベネフィットに結びついている。個人データの監視や捕捉を伴うアクセスは，不自然に高価格なアクセスが好ましくないのと同じように，チームには受け入れられない。

ギフィ・ネットは公園や広場といった共有地のように誰でも利用できる。この技術へのアプローチは，ノーベル賞受賞者である故エリノア・オストロムの発見と一致している。彼女は「コモンプール資源」の経済的可能性，つまりコミュニティに基礎を置いた公共投資が，単にお金を稼ぐだけではなく，プラスの結果を生み出す方法を見出したのである。

強靭さとコミュニティ：嵐のあとのネットワーク

2016年夏，アディティはブルックリンのレッドフックにある「デジタルスチュワード」プログラムのインストラクターとして働いていた。このプログラムでは，毎年19歳から24歳までの50人の若者を対象に，技術やメディアの分野でキャリアを積める実地研修を有給で行っている。そこでアディティは，グラフィックデザインやビデオ制作の分野で就職に向けてスキルを学んでいる若者たちに出会った。この学生たちは，デジタルスチュワード経験者の友人からこの機会を知った。経験者のなかには2012年にレッドフックWi-Fiの建設を手伝った人もいた。

若い住民，ボランティアの人々，市の職員，連邦政府の職員がレッドフックWi-Fiのインフラをつくることに貢献した。本書のこれまでの例と同じく，ネットワークは何もないところから出てきたわけではない。それは，あらゆる形態のテクノロジー同様，既存の人間関係や来歴のうえに構築された。このプロジェクトを成功させるためには，さまざまなニーズをもつ多様なコミュニティが同盟関係を築き，コミュニティネットワークの将来像を交渉して決めなければならなかった。

その交渉人の一人が，レッドフック・イニシアティブ（RHI）の元テクノロジー担当ディレクターであるトニー・シュロスだ。彼は2011年に，ネットワークを構築してインターネットベースの若者向けラジオ局を運営するというアイデアを考えていた。パーソンズ・スクール・オブ・デザインの大学院生であるアリックス・ボールドウィンの協力を得て，シュロスはRHIの建物とコフィー・パークを直接につなぐ二つのルーターを設置した。

2012年に巨大ハリケーン・サンディが発生し，数百人が死傷し，地域全体で多くの家が損壊したのち，RHIのスタッフは，実験的なレッドフック・メッシュネットワークを構成する2台のルーターが災害後も機能していることに気づいた。それは，地域で唯一機能している通信インフラだった。RHIの建物が停電しなかったため，建物の内部とすぐ外側ではインターネットにアクセスできた。近くのコフィー・パークにあるルーターも，半径0.8km圏内のユーザーに同じようなアクセスを提供していた。当時，仕事をしていたある若者は，「ネットワークの柔軟性の可能性を実感した」と感激を語っている。

> 誰もが興奮していたのは，一つのノードがダウンしても，ダウンしたノードの周りを迂回することができたので，アクセスが残っていたからだ。超クールだった。どのノードがダウンしても，自分自身を修

復する方法を見つけて，インターネットの有無にかかわらずアクセスを提供してくれる。

地元の中小企業ISPであるブルックリン・ファイバーから連邦緊急事態管理局（FEMA）までの技術的な援助を得て，メッシュネットワークは住民，初期対応者，復旧ボランティアが最も必要とする場所でインターネットアクセスを提供することができた。超局地的な情報共有システムとして機能したのだ。レッドフックのWi-Fiネットワークへのログオンは，近隣の住民や企業の従業員であれば誰でも無料だった（現在も同様）。ハリケーン後の状況，コミュニティの出来事，その他のレッドフックのニュースについてのデジタルなアップデートは，ネットワークのトップページに表示された。

レッドフック・イニシアティブの最初期のスチュワードたちは「第1世代」と呼ばれているが，そこには6人の近隣住民が含まれていた。ノードを設置するのによい場所を近所の建物の屋根で探し回ったりと，これらの若者たちには毎日さまざまな冒険や挑戦がもたらされた。第1世代のスチュワードの一人はアディティに語った。「私たちは毎日何をすべきか，常に考えていた。チームのスタート当初は，プログラムが立ち上がったばかりで，物事をどう学んでいけばいいのか，明確な仕組みがなかったのだ」。また，別のスチュワードは，「最初は，コミュニティの住民がお互いにコミュニケーションをとれるように，プラットフォームを構築していた」と振り返っている。

このグループは，サンディのあとに若者たちが自問自答するなかで生じたコミュニティの感覚を基礎にしようと努力していた。「どうすれば，災害時だけでなく，コミュニティをまとめるために日常的に使用できるようになるのか？　どのようにして人々を〈巻き込む〉ことができるのか，この地域のすべての企業に地元コミュニティから人を雇ってもらうことができるのか，そしてお互いに疎外されていると感じないように人々の距離を近づけていくことができるのか？」。

2011年からの数年間で，レッドフックのデジタルスチュワードプログラムは，ラジオ制作から，災害対策，近所のWi-Fi，ハイテク分野の職業訓練まで，その運営内容を変化させてきた。それは，貧困，人種差別，暴力，警察の横暴，地理的孤立，機会へのアクセスの欠如といった問題に日々直面しているレッドフックの若者たちの積極的な能力獲得と成長を支えてきた。このような理由から，デジタルスチュワードとレッドフックのWi-Fiプログラムを理解し評価することは，単純ではない。資金提供者にとっては，プログラムが成功したかどうかの主要な指標の一つは，訓練が参加者の就職につながることだ。しかし，近隣の中小企業や利害関係者にとっては，強力で信頼性の高いWi-Fiネットワークをもつことが成功の主な指標となる。

若者の多くは，8カ月間の訓練を受けながら収入を得られるからこのプログラムに参加した。何人かのデジタルスチュワードは，このプログラムを地域から脱出するための切符として見ていることを認めた。しかし，ほかの者はレッドフックへの愛着を認め，プログラムを修了したあとは地域の改善に参加したいと話していた。現在はグーグルでインターンをしているレッドフックWi-Fiの元設計者の一人はこう語る。「いつも人々に言っているのだが，誰かが投資してくれたのだから，私も間違いなく誰かに投資するつもりだ。私は間違いなくそう生きている。そして，間違いなくレッドフックとデジタルスチュワードに戻り，私ができる最大限の手伝いをするつもりだ」。

グループインタビューのなかで，多くのデジタルスチュワードは，プログラムを通して形成された人間関係が，自分もテクノロジーを使って人生を形づくることができるという自信を築いてくれたとコメントしている。彼らがつくったソーシャルネットワークは，感情面のサポートと，より広い世界とのつながりを提供してくれた。このように，レッドフックWi-Fiネットワークとデジタルスチュワードのソーシャルネットワークは，お互いをより強固なものにしている。このプログラムは，技術を学ぶ地元の人々に賃金をもたらし，仕事や資源にアクセスできる継続的な訓練の場ともなった。

しかし，アディティと私が指摘してきたように，デジタルスチュワードのなかには，近隣からの脱出の手段としてプログラムに参加した人たちもいる。これは，コミュニティの内外の多くの人々に複雑な感情を抱かせる重要な問題だ。このようなプロジェクトを自分たちの生活を向上させる手段として見ている人も多い。たとえその向上が自分たちのコミュニティを離れることを意味するとしてもだ。

レッドフックWi-Fiがコミュニティ内でその範囲を拡大し，住民によりよいサービスを提供するなかで，技術のうえにコミュニティの力を置くという本来の使命からさらに離れてしまう危険性がある。規模と効率性を高めるためには，地方自治体，サービスプロバイダー，近隣以外のパートナーからのより多くの関与（つまり要求に従うこと）が必要となる。真の意味でコミュニティが所有・管理するネットワークでは，インフラストラクチャの改善のペースが遅くなる可能性もある。このようなトレードオフは，コミュニティネットワークの範囲が拡大し，資金調達や政治，その他の持続可能性の課題に取り組まざるを得なくなった場合に注意すべき大きな問題だ。

リスクは高い。ネット中立性に関する決定はもちろんのこと，大企業のISPがアクセスの提供対象だけでなくその質についても，何度も利己的な選択をしてきたためだ。大きな称賛を受けているグーグルでさえ，そのISP

事業であるグーグルファイバーで苦戦している。たとえばアトランタ市では，グーグルは多くのユーザーに契約通りの通信環境を提供しておらず，市のネットワークを構築する過程で地下のインフラを破損させてしまったことさえある。テネシー州ナッシュビルなどの都市では，グーグルファイバーのサービス開始の遅延に悩まされている。

コミュニティネットワークは，民間ISPに代わる実行可能な代替手段として台頭し続けている。『ワイアード（*Wired*）』誌は，ロサンゼルスのサザンベイ地域の16都市が，安価で高速なインターネットアクセスを住民に届けることに合意したと報じている。これらの都市は，さまざまな社会経済的，人口構成的な背景をもっているが，インターネットへのアクセスは利己的な民間企業から提供されるだけでなく，公共サービスと協働の精神から生まれる可能性もあることを認識しているのだ。

このようなネットワークの構築と維持は，私たちが自らをインターネットの単なる「消費者」と捉え続けるなら，困難な闘いになるだろう。サシャ・マインラスが私たちに思い出させてくれたように，教育機関や市民団体では，「テクノロジーの批判的な消費者になる方法，つまりテクノロジーをツールとして使う方法を教えていない」ことがあまりにも多いのではないだろうか。「私たちは子供たちにチェーンソーを与えて『遊んできなさい』とは言わない。でもそれと同じことをテクノロジーについてはやっているのだ」。

コミュニティネットワークによって，人々は力を取り戻すことができる。カタルーニャのギフィ・ネットの中心人物の一人であるレアンドロ・ナバロは，この希望について次のように書いている。

「我々はネットワークを構築する方法を知っている……自然は，競争原理がうまく働かないような極端な状況において協力が効果的であることを示している。自然はまた，局地的な条件に適応する生物を生み出すために，多様性と局地的進化が重要であることを示している。誰もどこでもデジタルライフを育んで持続させることができるように，コミュニティネットワークの基盤を発展させるための中立的な環境が必要なのだ」。

第18章　接続を問う

私は最初の著書『地球村は誰のものか？（原題：*Whose Global Village?*）』（2017年）で，大衆文化に蔓延している神話に疑問を投げかけた。その神話とは，テクノロジーがグローバルで民主主義的な会話を可能にして，魔法のように世界中の何十億人もの人を一つにするというものだ。2017年7月にメキシコのグアナファトで開催されたユネスコのイベントで同書について話した際に，私はこの神話に異議を唱えた。テクノロジーが特定の場所でほぼ独占的に設計され，世界の「周縁」へと押しつけられていくときに生じる問題を論じたのだ。またそれに対して，個人的に観察した多くの例を提示し，グローバルなコミュニティや文化がどのようにして新しいテクノロジーを生み出し，使いこなしてきたかを示した。

会議のあと，私は国内線でメキシコシティに向かった。機内には背の高い細身の男性がいて，どこか見覚えがあるような気がした。隣の席の乗客が身を乗り出してスペイン語で私にささやいた。「そこにいるのはフォックス大統領だよ」。通路を挟んだ前の列に座っていたのは，2000年から2006年までメキシコの指導者だったビセンテ・フォックスだった。

正直なところ，私はフォックス元大統領についてあまり知らなかった。彼が投稿したユーモラスな動画で，トランプ米大統領の，アメリカ・メキシコ国境沿いに何千マイルもの壁を建設するという約束を批判していたこと以外は。数人の乗客がフォックス元大統領に近づき，写真を撮ったり，握手をしたりしていたが，私は黙ったままだった。大統領に何を言えばよいのか？　しかし，飛行機が着陸してターミナルに向かって移動するとき，私はついに勇気を出して，彼の動画を褒めた。

驚いたことに，フォックス元大統領は私のことを尋ねてきた。どこで働いているのか。何をしているのか。私は，自分の研究，ユネスコのイベント，そして世界最大のコミュニティ所有の携帯電話ネットワークがあるメキシコ南部オアハカでの活動について彼に話した。フォックスは研究に純粋に興味をもっているようで，私の名刺を求めてきた。彼が懸念を示したのは，世界中で「フェイクニュース」現象が起きているように，メキシコでもネット上での偽情報が横行し，誠実な政治家の信用を落とし，不誠実な政治家の人気を高めているのではないかということだった。そして，私たちは握手をして別れた。

数時間後，お気に入りのパン屋でフレッシュ・マンゴージュースを飲んでいると，フォックスから携帯電話にメールが届いた。それは数行の丁寧な文章で，彼は私の仕事を称賛し，自身が主催するラテンアメリカの科学技術の未来についてのサミットで講演するよう私を招待してくれた。

加速するテクノロジーは魔法のつえか？

2カ月後，私はサンクリストバルにあるフォックスの別荘に到着し，会議で講演する準備をしていた。

ピューリッツァー賞受賞者であり，『ニューヨーク・タイムズ（*The New*

York Times)』紙のコラムニストでもあるトーマス・フリードマンが開会の挨拶をした。彼は，自らのベストセラー『遅刻してくれて，ありがとう』(2018年日本経済新聞出版)からの洞察を紹介した。iPhoneの発明について語ったフリードマンは，ロボット工学，人工知能，遺伝学，通信などの分野での進歩は，私たち全員に力を与えてくれるだろうと主張した。さらに，より速く，より効率的な技術が世界中の人々をつなぐため，たとえ変化に直面しても安定状態を維持する手段になりうると指摘した。

フリードマンは，「増幅」と「加速」という言葉を繰り返し使って過去数十年の社会のデジタル化を特徴づけることで，私たちがお互いにコミュニケーションをとり，情報を見つけ，知識を保存し，仕事をアウトソースして分配し，さらにはお互いを監視する能力にまで革命を起こしたことに言及した。テクノロジーの革命的な進歩は，人間の状態にも同様のプラスの変化を当然もたらすと確信しているように見えた。

私が戸惑ったのは，どこに住んでいる誰であろうと，テクノロジーの変化が魔法のように人間の生活の改善を保証してくれるという考え方だった。それは，あるイノベーションから利益を得ているグループが，その技術は本質的にすべての人にとってよいものだと決めつけてしまうというありがちなストーリーとあまりにも近いように思えた。私たち全員の対話や協力に基づいたテクノロジーを開発する余地はないのだろうか。

私は講演のなかで45分以上もかけて，世界中の多様なユーザーの声に耳を傾け，コラボレーションするにはどうしたらよいかを論じた(27ページ，図18.1)。技術の世界では，インドのように技術開発によってGDPが大幅に増加している国を称賛する声が多い。しかし，この成長はインド国内の所得と富の不平等という深刻な問題への対処には役に立っておらず，そのうえに収入も主として欧米の顧客に依存する形になってしまっていると私は指摘した。

私は，その多くはアメリカ人でも中国人でもない聴衆に，世界中の起業家，社会活動家，政府，コミュニティが，毎日使うテクノロジーの設計，生産，所有，規制を主導できると思うかを尋ねた。それは実のところすでに起きつつあることなのだと説明すると，会場の聴衆はうなずいていた。以降のページでいくつかの実例を紹介しよう。

テクノロジーの普及により，世界は劇的に変化した。2018年には，インターネットにアクセスの時間のうち73％はモバイルデバイスが占めている。2016年には世界人口の63％が携帯電話を所有しており，2019年には世界の携帯電話利用者数が45億7000万人から46億8000万人に増加すると推定されている。世界の人口が75億人強であることを考えると，驚くべき数字である。

しかし私たちがほとんど考えないのは，世界中の人々がテクノロジーをいかに自らに奉仕させてきたか，自国のニーズ，価値観，目標を満たすツールやシステムを利用したり（また既存のテクノロジーを新しい方法に使ったり）設計したりしているかということだ。たとえばインド南部では，村人たちが農作物や魚を販売するためにモバイルアプリを使って企業や非営利組織と連携している。エジプトの「アラブの春」の活動家たちは，デジタル・ソーシャルネットワークを使って大規模に情報を共有し，YouTubeの動画を街の広場で上映することで，市民を物理的に集めたことで有名である。メキシコの先住民族は，従来のネットワーク事業者がカバーできない場所でのコミュニケーションのために，独自のデジタルネットワークをつくっている。これらの例では，テクノロジーそのものが魔法のようにユーザーをサポートしているわけではない。テクノロジーがどのようにつくられ，設計され，管理されているかによって，コミュニティや文化の理念が促進されているのだ。

インターネットユーザーやモバイルユーザーはそれぞれ異なる経験をも

図18.1　メキシコのビセンテ・フォックス元大統領主催のサミットで講演した著者

っており，「アクセス」や「デジタルデバイド」といった万人に合致しそうな言葉だけでは説明がつかない。私たちが使用しているデバイス，データやインターネットサービスのプラン，接続速度，コンテンツに対する検閲やコントロール，デジタルリテラシー，これらすべては，私たちが誰であるか，どこにいるかによって劇的に異なる。

インターネットアクセスがどのように普及したかを考えると，アフリカ，ラテンアメリカ，中東でインターネットに接しているユーザーは，経済的資源が少なく，農村部に住んでいる可能性が高いと考えられる。このことは，重要な問題を提起している。これらのユーザーはどのような種類のインターネットを利用するのだろうか？　それは彼らの言語の保存を支援するのか，それとも永久的な喪失を加速させるのか？　伝統を守るのか，それとも商品化してその価値を下げるのか？　多様な政治的，経済的，文化的価値観を反映した形で,これらのユーザーを包摂するのか？　それとも,包摂すると主張しながら，実際にはユーザーの注意を捉えてデータを抜きとるのだろうか？

接続可能性は常に善なのか？

携帯電話やインターネットが世界を変えているという話を聞くと，特に南アジア，アフリカ，ラテンアメリカなどでは，接続可能性という言葉が常に議論の中心になっている。しかし，この言葉の本当の意味は何なのだろうか？

接続可能性という考え方に付随するのは，それを改善する方法はシステムに対するアクセスの拡大だけだという一般的な認識である。前節で示した携帯電話利用者数の統計が示すように，特定の通信技術を利用する人が多ければ多いほど，その技術の価値は高くなる。

しかし，人間ベース，ユーザーベースの視点から見ると，接続可能性は本当に疑いなくよいものといえるのだろうか。私たちは，誰と，どのサービスプロバイダーを通じてつながっているのか，そしてユーザーとしての私たちにそのつながりを決定する力がどれほどあるのかを問う必要がある。愛する人への電話は，大切にしている関係のなかで私がコントロールできる接続だ。監視は私がコントロールできない接続であり，私が大切にしておらず，望みもしないかもしれない関係を形成してしまう。この区別は，人間の主体的な接続が無思慮なデジタルの接続可能性といかに異なるかを示している。

ここでもう一つの重要な疑問がある。接続可能性を提供されることと引き換えに，私たちは何を手放すのだろうか？　それはプライバシーなのか，お金なのか，それとも何かほかのものなのか，手放すものはまったくないのか？　広告や統計データと引き換えに接続可能性を提供されているのではないか？　多くのハイテクスタートアップ企業がこのモデルを反復している。たとえば，メキシコに拠点を置くピッギーは，個人情報の見返りに仮想通貨を提供しており，現在ではラテンアメリカ全土で200万人近くのユーザーを抱えている。

接続可能性がもたらす現実の体験は，世界中の人それぞれに異なる可能性が高い。技術的なインフラや機器，社会的な要因によって，また人や場所によって異なる種類の接続可能性が生まれる。ユーザーのデジタルリテラシーのレベルや，隠蔽された検閲や監視は，接続可能性に関する実際の経験にきわめて大きな影響を与える可能性がある。第8章の例を思い返してみてほしい。政治的バイアスを受け継いだアルゴリズムが「アラブの春」のさなか，グーグルで「エジプト」を検索した際にどのように影響を与えたかが明らかになっている。

2017年に国連主催のカメルーン訪問の準備をしていたときによい例が出てきた。私は西アフリカにあるその国について人々の視点から学びたいと思っていた。しかし，私のグーグル検索の結果は，アルゴリズムの予測ミスを反映していた。私の母国（アメリカ）のユーザーに最も人気のあるコンテンツが，私が最も見たいものであり，私にとって最も「関連性のある」ものであろうとアルゴリズムは考えたのだ。このため，検索結果の最初の3ページは，CIAの「世界の国々」のようなウェブページにリンクされていて，平均降雨量や国の海岸線の長さといった統計情報を提供しており，実際にカメルーンにあるページにはリンクされていなかった。結果的に，私の「接続可能性」はカメルーンに実際に住んでいる人々と深い接続を築く可能性を阻んでいたのだ。

厳密にいえば，グーグルが私に提供した検索結果には何の誤りもない。しかし，それらの検索結果には，エンジニア，経営者，投資家たちが定義した，価値，信頼性，有用性に関する誰もが共有しているわけではない特定の考えが反映されている。そして，彼らは透明性も説明もなくそうしている。このブラックボックスは，ユーザーの「スムーズな」体験を促進する一方で，批判的な関与や深い好奇心を失わせてしまう。

インターネットを機能させる物理的インフラの一つ，海面下の光ファイバーケーブルに注目して，接続可能性についてさらに探ってみよう（図18.2）。人口の非常に多いグローバル・サウス（南米やアフリカ）の大陸同士を結ぶケーブルはごくわずかだ。しかし，かつて植民地化された場所と植民地化した国とを結ぶケーブルの数は非常に多い。さらに多くのケーブルが，ロサンゼルスと上海，ニューヨークとロンドンなど，政治的・経済

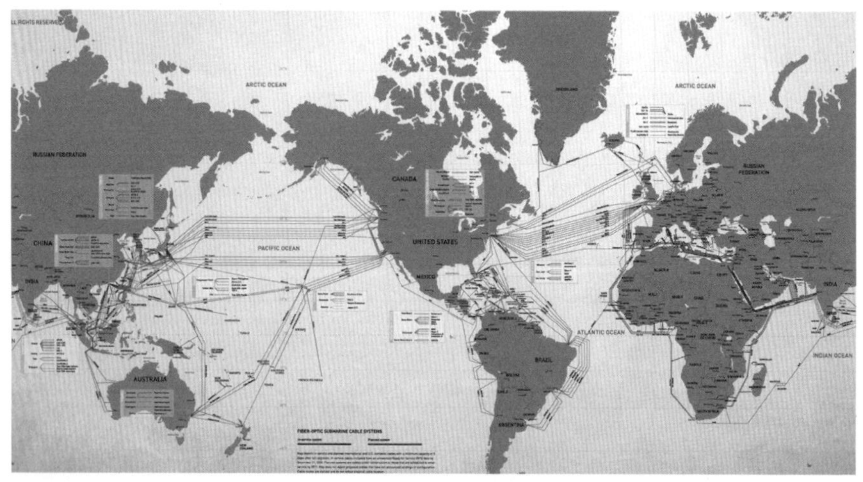

図18.2　光ファイバーケーブルの地図（出典：スライブ・グローバル）

的に大きな力をもつ地域を結んでいる。この事実が明らかにするのは，インターネットの光ファイバーケーブルのアーキテクチャが中立ではなく，政治的・経済的な関係を反映しているということだ。

たとえば，発展途上国の二つの小さな島国(パプアニューギニアとソロモン諸島)とその強力な隣国(オーストラリア)が結んだ2018年の取り決めについて考えてみよう。中国の通信会社ファーウェイのこの地域への参入を懸念していたオーストラリアは，もともとこの戦略的協定に興味をもっていたが，その内容は3カ国を光ファイバーケーブルで結ぶことで，インターネットへのアクセスを改善し，経済的な負担を軽減するというものだった。この例は，政治的な合意(この場合，中国の侵入を防ぐための動き)が，ケーブルの設計とエンジニアリングに関する技術的な決定をどのように動かすかを明らかにしている。

政府と企業のテクノロジーが交錯するとどうなるか？

中国における接続可能性は，もちろん，オーストラリア，北米，または南太平洋の小さな島々とは異なる意味をもっている。中国はグローバルテクノロジーを形成する巨大な力をもっているため，このことを理解するのは重要だ。これまで中国の挑発的で魅力的な例をいくつか紹介してきたが，テンセント，バイドゥ，アリババなど，中国で最も強力なハイテク企業については，あまり詳しく書いてこなかった。これらの企業の従業員や中国国内のユーザーに記録を前提に取材することが不可能だったからだ。オフレコで話を聞いた人たちは，中国のテクノロジー企業の戦略の原動力となっている二つの重要なテーマを繰り返し指摘していた。それは，「成長」と「企業と政府との紐帯(ちゅうたい)」だ。

中国は，その国の文化，政治，価値観が，国境の内外に広がるテクノロジーの設計にどう影響を与えるかという一例を示している。中国のテクノロジー産業は，国内においてますます熱心に取り組むだけではなく，その影響力を世界にも広げようとする政府の意向に沿ったものである。習近平国家主席の指揮の下，世界で最も人口の多い中国は2017年，テクノロジー開発のために1兆ドル規模の一帯一路構想を推進すると発表した（図18.3）。このプロジェクトは有名なシルクロードにちなんで名づけられたもので，中国を世界的な影響力をもつ強国として再確立しようとしている。この目標を達成するために，一帯一路は68カ国にまたがり，「中央アジアから東欧を経てアフリカの角を回り南太平洋に至る，中国が資金を提供する新たな交通・エネルギープロジェクトの広大なループ」を目指す。中東を経由して中国とヨーロッパをつなぎ，ユーラシア大陸を結ぶ何千マイルもの距離を太陽光発電で走る（おそらく自動運転の）貨物列車も含まれるかもしれない。

私が話をした中国のテクノロジー関係者たちが（再びオフレコで）言うことは，ほぼ一致していた。それぞれが，成長のためのある特定の戦略の重要性を表明してくれた。数における成功だ。彼らは，政府高官や経営者たち，そして従業員やユーザーである自分たちでさえも，互いに競争しているとは思っていないと説明してくれた。その代わりに，彼らは自国とその企業のために一つの結果，すなわち成長と影響力の実証可能な証拠を求めて，団結した戦線として自分たちを見ているのである。その結果は，収入，利益，ユーザー数，その他の影響力を示す指標で表現されうるが，それは仕事に対する集団的な文化を示すものでもある。2018年に，時価4000億ドル以上と評価されるハイテク企業の中国人女性幹部と話をしたとき，彼女は簡潔に要約した。「我々は働くために生き，生きるために働くのだ」。

中国の国際的な野心がどこに向かうかは，世界のほかの地域からの反発

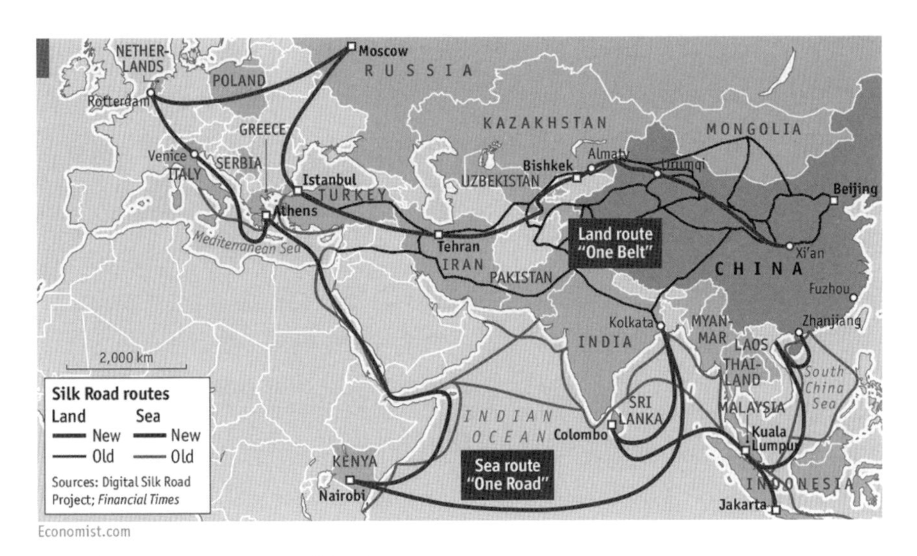

図18.3 中国の広大な一帯一路構想

をどう受けるかと同様に，まだ見通せない。しかし，中国のテクノロジーは国家と企業の間の連携を明示しており，アメリカとはまったく異なる独特のあり方をとっている。アメリカ司法省が2018年にとった行動だけを考えてみても，フェイスブックが公正住宅法に違反していると告発し，政府が捜査しているギャングのメンバーを盗聴させようとして同社を裁判所に引きずり出し，フェイスブックのプラットフォームを使用してアメリカで詐欺行為を共謀したとして十数人のロシア人グループを告発した。これらの状況は中国では考えられないことばかりだという。中国では，国家との綿密な連携なしには，大規模で持続可能な企業を維持することはできない。また，民間企業においても，政府に批判的な政治的・経済的立場をとることは許されない。

その鮮やかな例が中国の社会信用システムであり，第10章と第16章で紹介した現代生活のディストピア的状況である。アルゴリズム主導の報奨・

制裁システムによって強制され，市民の行動を「採点」するために使用される基準についての透明性はほとんどない。さらに，もともと問題があった金融信用制度のうえに築かれた侵害的な監視構造に対する説明責任もほとんど果たされていない。中国の社会信用システムは，単にテクノロジーを政府の機能に統合したものではなく，むしろ，データを使って市民の生活をコントロールすることを全面的に許可したものである。

このシステムは中国のテクノロジーのすべてを網羅しているわけではない。しかし，国家がテクノロジーの形成にどれだけ力を発揮し，関与できるかを示す例としては有力だ。特に統一性，協力，統制が伝統的な価値観に沿ったものである文化的な文脈においては，このシステムは重要な意味をもつ。中国はハイテクプラットフォームの成功例には事欠かない。たとえば，10億人以上のユーザーをもつテンセントのウィーチャットは，メッセージング，ソーシャルメディア，モバイル決済のすべてを単一のプラットフォームへ統合することに成功している。このことを知っている人はほとんどいないが，テンセントは2018年3月の時点で，時価総額でフェイスブックを720億ドルも上回っている。グローバルなテクノロジー産業の主要プレーヤーとして，この強力なアジアの国は，私たちが将来的に，そして世界中でテクノロジーをどのように考えるかについて，厄介でありながら有望でもある，多くの可能性を示している。

新しいフロンティア

その数字には驚かされる。2012年から2017年までに，毎日100万人がソーシャルメディアに新しく参加している。同じ5年間に，世界中でモバイル技術やインターネット，ソーシャルメディアへのアクセスも驚くほど増えており，率にして82％，約17億人も増加している。

次章以降では，アフリカからラテンアメリカまで，イノベーションや技術開発について語る際に見過ごされがちな場所でのブレークスルーについて述べる。しかし，これらはインターネットが最も急速に広がっている場所だ。これからの章の例は，私たちが誰であるか，どこにいるかに関係なく，私たち全員がテクノロジーの革新者となる力があること，ユーザーとして，コミュニティとして抱くイメージに合うようにテクノロジーを設計し，開発し，形成する力があることを示している。

第19章　アフリカ生まれの技術

携帯電話でお金を支払うことを可能にする革新的技術に関して，アフリカが欧米諸国に勝つと想像した人はどれほどいるだろうか。この章では，ハイテク企業がアフリカでどのように商品やサービスを販売しようとしているかだけでなく，アフリカ大陸における草の根の創意工夫がどのようにして明日のテクノロジーを産み出しているのかを見ていく。

ソフィアとは何者か，なぜ彼女はエチオピアに来たのか？

サウジアラビア出身のソフィアは，2018年7月に開催された情報通信技術博覧会のためにエチオピアにやってきた。彼女はその2年前にすでにつかの間のスターとなっていた。テレビ番組「60ミニッツ」の出演中に，彼女は「うまい口説き文句」でベテランのインタビュアー，チャーリー・ローズを困惑させた。恋愛はしないかもしれないが，ソフィアはオードリー・ヘップバーンのような繊細さをもっている魅力的な女性である（39ページ，図19.1）。そして，実は彼女はロボットだ。

香港製のソフィアは，基本的な会話ができ，質問に答えたり，表情をつくったりすることができる。エチオピアのアビー・アハメド首相との会談に備えて，ソフィアはエチオピアのほとんどの人が話すアムハラ語を学んだ。しかし，あり得ないことに，イベントの1週間前にフランクフルトの空港で彼女のパーツの一部が紛失したため，会議の日程を変更せざるを得なくなった。

ソフィアのエチオピア訪問は，デジタルテクノロジーの新しい活動領域としてのアフリカの役割を象徴している。しかし，これらのテクノロジーがアフリカ大陸でどのような道を歩むのかはまだ決まっていない。アフリカでのデジタル経済の到来が比較的遅れていることが，このような不確実性の一因となっているが，それはある種の利点でもある。アフリカの人々がテクノロジーを試す際には，世界中の事例，特にシリコンバレーの劇的な成功と短所を参考にすることができる。アフリカ大陸の若く増加している人口，驚異的な天然資源，創意工夫，古い有線インフラがないことによって，アフリカ人が定義するアフリカ人のためのデジタルな未来の可能性が開けている。

過大評価だと思われるかもしれないが，根拠はある。たとえば，アフリカの裕福な国々では，モバイル接続のためのインフラが非常に優れている。たとえばケニアのモバイルインターネットの速度は，世界で14位だ。これは世界平均の2倍の速さで，アメリカ（28位）や韓国（固定インターネットの接続速度が世界最速）を大きく引き離している。

欧米や中国の大手企業は，アフリカで製品を販売したり，新しい市場に参入したり，さらには技術の設計方法を再考したりするチャンスを見出しつつある。アップル，アマゾン，グーグル，フェイスブック，マイクロソフト，その他多くの企業がアフリカ大陸の至るところに進出し，ヨハネスブルグやケープタウン（南部），ナイロビやキガリ（東部・中部），アクラ，

図19.1 ソフィアとエチオピア首相（出典：@realsophiarobot）

ラゴス，アブジャ（西部）などの都市の中心部に店舗を構えている。中国企業はアフリカ大陸で，テクノロジーに関する取り組みだけでなく，考えられるほぼすべてのインフラに関与しており，経済関係を形成し，中国の政治的影響力の範囲を拡大している。アリババの創業者であるジャック・マーは，今後10年間で少なくとも100人のアフリカの若い起業家を支援するため，1000万ドルのネット起業家ファンドを立ち上げたばかりだ。2018年8月，彼は，アフリカのすべての国においてスタートアップ企業に有利な税制を若者が利用できるよう促すべきだと群衆に語った。しかし，またこう続けた。「私は今日，私たちはアフリカでロボットや人工知能について話すべきではないと考えている。アフリカの雇用創出をもたらすための革新的な方法について話すべきだ」。

外国の影響力を語るにしても，大陸で成長したビジネスを語るにしても，一つだけはっきりしていることがある。それはアフリカが，デジタルな未来のビジョンが投影されている，ホットなテクノロジーのフロンティアであるということだ。

本書のために東アフリカのウガンダ，ケニア，タンザニアで現地調査をしていると，市場では中国やアメリカの影響を示すものや，両国のビジネスマンによく遭遇した。高校生がアフリカ史よりも欧米史の授業を受けることが多く，学校ではそれぞれの国の世界観や言語がほとんど教えられていないことは意外だった。国立公園でさえ，イギリスの科学者や探検家の名前がつけられている。私は不思議に思った。アフリカから出てくる新しいテクノロジーは，アフリカの国々のもつ文化の歴史，多様な伝統，言語について，その存在をただ認知するのではなく，認識したうえでそれに基づいて構築していくことができるのだろうか？　この章とこれからの章（20章と21章）を見ると，そう，このようなイノベーションがアフリカ大陸でも健在であることがわかる。

アフリカのUber

アフリカでは，すでにいくつかのハイテクビジネスの成功例が生まれている。2012年には，アフリカ・インターネット・グループ（AIG）というナイジェリアが拠点の電子商取引グループが，ハイテク分野でアフリカ初のユニコーン（10億ドル以上の価値をもつ未上場のスタートアップ企業）になった。しかし，ほかにもさまざまなスタートアップを所有しているAIGは，ユニコーンの称号を得るために外国の支援に頼っていた。ゴールドマン・サックス，ロケット・インターネット（ドイツに本拠地を置くグループ），アクサ（フランス）からのAIGへの投資は，アフリカがハイテクの世界で力をつけているという国際的認識の象徴だ。それはまた，アフリカの市場がテクノロジーによって強化され，その経済がかつてほど石油やほかの産物の価格によって左右されづらくなっているという新しいトレンドの象徴でもある。テッククランチのある寄稿者は，2016年のダイナミックな変化を要約して，「アフリカ大陸最大の経済大国であり，石油生産国でもあるナイジェリアが，商品価格の下落や中国の景気後退の影響を受けているにもかかわらず，10億ドル規模のテック企業を生み出している」と述べている。

別の例として，アフリカ大陸全体でのUberの台頭を考えてみよう。私は第11章で，ウォール街に支えられたライドシェア企業が，ダルエスサラームの三輪タクシーを「乗っ取った」経緯を説明した。ケニアの首都ナイロビを訪れると，Uberが東アフリカでの旅行も支配下に置こうとしていることがわかるだろう。街の中心部に沿って，効率性，利便性，安全性，手頃な価格を約束する数多くの街頭広告が，図19.2（43ページ）の若く魅力的なケニア人のように，あなたもヒップで近代的なデジタル経済の一部になれることを示唆している。

これらの約束のなかには，真実に基づいたものもある。Uberのようなデジタルテクノロジーには，非公式経済でしばしば起こる腐敗を減らす可能性がある。取引に関する交渉が一定の形式のなかで行われることから，セキュリティ，チェック可能性，価格の透明性がシステム的に実現されるし，その結果として正統性も証明される。しかし，そうするなかで，人々が長い間守ってきた経済社会システムに抵触したり，違反したりする可能性もある。デジタルテクノロジーは，反腐敗という意味での「ディスラプション*」を約束すると同時に，何世代にもわたって集められた知恵，交渉，人間の創意工夫によって地域社会が築いてきた貴重な文化的・社会的つな

---

*破壊・混乱。デジタルテクノロジーの文脈では創造的破壊という意味で使われる。

がりを「ディスラプト」することになるかもしれない。

東アフリカのいくつかの国を訪問している間に，私は何人かのUberの運転手と話す機会があった。企業としてのUberのファンは誰一人としておらず，多くの人が創造的な回避策を考え出していた。なかには，顧客に会うためにサービスを利用し，プラットフォームの外で顧客と情報を交換して，アプリではなく自分たちが管理する関係を維持・サポートしている人もいた。

私が出会ったドライバーのほとんどは（地元の一般の人たちと同様に），アフリカ大陸から石油や鉱物，そして（最近では）データといった資源が不当に，不正に，そして暴力的に引き出されてきたことを指摘していた。欧米諸国は長い間，アフリカの資源を搾取しようとしてきた。奴隷制や年季奉公，鉱物や石油に至るまで，あらゆるものを搾取することで，その利益を自分たちのものにし，アフリカの国々の権利をさらに奪い去ってきたのだ。これらのドライバーたちは，西洋のテクノロジーの効率性が約束した「よいこと」はすべて，最新のトロイの木馬に過ぎないのではないかと私に教えてくれた。

しかし，搾取は抵抗を生むこともある。ケニアでは，現在Uberのプラットフォームの利用を拒否するUberドライバーによるストライキが何度も発生している。Uberの利用を拒否するなかには，都市や国をまたいであらゆるところを走っている現金ベースの「マタトゥ*」のミニバンと連携してサービスを提供しようとしている者もいるという（第21章参照）。このような公共交通システムが反映しているのは，交通機関，より広くいえば生活は，Uberに乗るような個人ベースのものではなく，社会的で集団的な体験であるという広く共有された感覚を反映している。

地域のアプリベースのライドシェアも支援されている。ウガンダでは，タクシファイ，モンド，スペショなどのアプリそれぞれを見れば，Uberを

図19.2 ナイロビのUber広告は，ライドシェアの国際的な魅力を強調している。

支えているような投資が不足しているかもしれない（したがって，投資家のお金を利用して人為的に価格を下げる能力も不足している）。しかし，これらのアプリが一緒になれば，Uberの大きな財源をもってしても太刀打ちできない価値を提供することで，競争に勝てるかもしれない。セーフボダと呼ばれる取り組みは，GPS技術を使用してクライアントを「ボダボダ」と呼ばれるオートバイにリンクさせている。マタトゥを除けば，ボダ

*ケニアの乗り合いタクシー。

ボダによる移動はウガンダ国内で最も安く最も一般的な交通手段である。通常，乗客はうしろの座席にヘルメットなしでまたがり，運転手は渋滞のなかを縫うように走ったり，時には一方通行の道を逆走したりする。セーフボダはこれらの問題を改善した。安全運転する運転手に高額で安定した賃金を与えることで，危険な交通手段をはるかに安全なものにしたのだ。このように，ローカルなイノベーションは，乗客，ドライバー，そしてローカル企業に価値を提供することができるのだ。しかしこれにはUberも気づいたようだ。同社は，アプリ内でUberボダをオプションとして提供することで，失われたビジネスを取り戻そうとしている。

アフリカの創意

西アフリカのシエラレオネ出身のケビン・ドーは，10歳のときに，廃棄されたスクラップから電子通信装置をつくり，自分で電池を設計し始めた。16歳のとき，ドーは最年少でMITの客員研究員に選ばれた。その後，彼はシエラレオネに戻り，農村部の人々が無料で利用できる電力の開発を支援した。彼のイノベーションにより，人が歩くだけで靴から電気を供給できるようになった。単なる10代の「ユーザー」とみなせば才能を見過ごしてしまうかもしれないが，ドーはアフリカの若きハイテクスターの一人だ。アフリカは世界のどの大陸よりも急速に人口が増加しているため，若い人口が最も多い大陸でもある。現在，アフリカ人の60％が25歳未満である。

若いクリエイティブなアフリカ人が技術分野のリーダーとなる可能性を引き出すために，多くの取り組みが行われている。2018年7月には，アフリカ数理科学研究所が，ルワンダでは初となる機械知能の修士課程を開設することを発表した。フェイスブックやグーグルがこの課程をバックアップしており，最終的にはほかのアフリカ諸国への展開も視野に入れていた。

同研究所は，AI開発者コミュニティが世界の多様性を反映するものではなかったため，このような課程が必要だと考えた。多様な世界を反映できていないことは，世界レベルでのバイアスを永続させるだけでなく，さまざまな機会を逃す結果にもなりかねない。これは，アフリカから，あるいはどの地域からでも生まれうるイノベーションの例であり，遠くからでは育てられないものだ。

アフリカを拠点に活動するテクノロジージャーナリストのトビー・シャプシャクに，デジタルテクノロジーとアフリカ大陸について話を聞いた。会話のなかで私たちは，「アフリカ」という言葉を使うと大陸全体を均質化して捉えがちだということを念頭に置いていた。この大陸は非常に多様性に富んだ広大な土地で，1500～2000の言語が話されており，文化的にも経済的にもさまざまな人々が暮らしている。

2013年に行ったTEDトークのなかで，シャプシャクは，なぜアフリカがこのような重要なテクノロジー開発の中心地になったのかについて話している。彼は，2000年代初頭にボーダコムが開発した従量課金のSIMカードや，農家が酪農事業を維持してアフリカの食糧安全保障に貢献するのを支援するサービスiCOWが，アフリカ発祥であることを指摘している。シャプシャクの見解では，アフリカ人がこのような革新的なテクノロジーを生み出すことができたのは，そうしなければならなかったからだという。

テクノロジーは問題を解決するためにあると彼は主張する。より多くの問題があるところには，より多くの解決策が生まれる。そして，アフリカ人が開発した解決策は，私たちがほかの場所で応用できるものかもしれない。しかし，以降のページで紹介する洞察は別のことを示している。私たちが問題として見ているものは，簡単に克服できる制約でしかないのかもしれない。

なぜだろうか？　その答えは，思想，知識，歴史において広大な多様性をもつアフリカにある。このような文化の豊かさが提示するのは，新しいテクノロジーの運命と実装だ。現在，欧米や中国の影響で飽和状態にあるグローバルなハイテク市場では，アフリカの創意工夫が既存のディスラプターたちをディスラプトする可能性がある。

たとえば，アフリカ全土には電力網が整備されていないため，グリーンライト・プラネット，D・ライト，オフグリッドエレクトリック(OGE)，M-コパソーラー，フェニックスインターナショナル，BBOXXなどのオフグリッド電力*のスタートアップ企業が数多く生まれている。ドローンは，一般的には世界の富裕な部分から「飛び込んできた」高度な技術と思われているが，ルワンダのような国では遠隔地に医療品を届けている。アフリカ大陸では，正式な工学教育を受けていない人たち（つまりこの大陸の専門家階級以外の人たち）でも，テクノロジーの革新者として活躍している。アフリカ大陸の各都市では，路上でハードウェア修理が多く行われており，欧米では時代遅れとして扱われるような技術（古いiPhoneなど）に新しい命を与えている。

アフリカの都市の路上で，さらに言えばグローバル・サウスの多くの都市では，もう使えない機械から金属をとり出したり，機械を組み合わせて新たな相乗効果を生み出したりと，創意工夫が盛んに行われているが，それは魅力的な疑問を投げかけている。本当の意味でのイノベーションとは何か？　短い年月で使えなくなる短命な機器を設計することなのか？　それとも，それらの機器を使い続けられるように資源を有効活用してリサイクルすることなのだろうか？

「短命」のアプローチは消費者に依存を強いるものであり，アップルが世界初の1兆ドル企業になった一因でもある。しかし，この永続的な買ったり売ったりというアプローチは，シリコンバレーの巨大企業の富のほかに，何を生み出したのだろうか？　アップルの計画的陳腐化は，一定期間後に死ぬように設計された種子で特許を得たモンサント社の計画と同じではない。しかし，放置された機器が有毒廃棄物になる可能性があることを考えると，それほど違わないともいえる。アフリカ全土で受け入れられている「リサイクル」のアプローチは，より少ない資源でより多くのことを行うことに焦点を当てている。それは，ほとんどの人が直面する経済的な制約を，テクノロジーの寿命を延ばすための工夫に富んだ解決策を開発する出発点として認識している。この比較から問いかけることができる。私たちはどちらの道を生きたいのだろうか？

文化や状況がアフリカ全体のテクノロジーにどのように影響を与えたかを示す最も顕著な例は，携帯電話の急速な普及だ。これによって個人や家族に共有や交流の新たな機会がもたらされた。アフリカの携帯電話ユーザーはほかに手段がないために，日常生活のなかにある制約や欠点を甘受していることが多い。この観察に基づいて，通信事業者サファリコムはウガンダでいち早く，地域経済の成長を妨げているものを取り除くためにいくつかのオプションを提供した。たとえば，サファリコムのユーザーが「無料通話時間」を共有するサービスであるサンバザは，ウガンダ初のモバイル送金サービスであるエムペサへと成長した（48ページ，図19.3）。2016年現在，世界のモバイルマネーサービス282社のうち半数以上がサハラ以南のアフリカに位置している。

エムペサは，アフリカの人口の大部分が金銭を互いにやりとりするための簡単で信頼できる手段をもっていなかったために開発されたサービスで，利用者は携帯電話のアカウントに紐づけられたクレジットを使って商品やサービスの代金を支払うことができる。これは，サトウキビ商人，小さな屋台，地元企業といった代理店のネットワークを介して，ほぼどこか

---

* 大規模な電力会社の送電網につながっていない発電事業。

図19.3 ケニアではどこでも見かけるエムペサの看板

らでも利用できるようになっている。このコンセプトは，利用者と携帯電話会社の双方にとって大きなメリットがあることが証明されている。アフリカの数々の国で少なくとも1億のアクティブなモバイルマネー口座をもつ通信会社は，銀行よりもはるかに低い取引手数料をユーザーに請求するだけで，より多くの利益を上げている。当然のことながら，銀行や政府からの反発もある。金融ヒエラルキーのトップに君臨していたこれらの強力な伝統的機関は，このイノベーションが脅威となることを認識しているのだ。

今日，モバイルマネーの取り組みはアフリカ大陸全体に広がっている。近接するソマリアははるかに貧しい国であるが，無料で契約でき，取引手数料も安いモバイルマネーサービスによってほぼキャッシュレスの社会を実現している。また，銀行の世界にも似たようなものが存在している。ケニアのエクイティ銀行は，口座をつくりたい人がどんなに少額のお金しかもっていなくても拒否しないことで称賛されている。

大半の人口を包摂してウィン・ウィンの状況を達成するには，金融システムにかかわる人々や場所を念頭に置いて，銀行制度やテクノロジー自体がどのようなものであるべきかを再考する必要がある。また，これはお金だけの問題ではない。マリやアルジェリアなどの人々は，SIMカードや携帯電話のBluetooth機能を使って音楽を交換している。これこそが生きた創造力だ。地元の音楽やボリウッドのお気に入りの曲までを共有するために，携帯電話が意図しない方法で使用されているのだ。

モバイルマネーの経緯を追えば，インフラや電力網の不足，地方自治体の組織化の不足など，デメリットといわれていたものをチャンスとして捉えることができる。しかし，大規模なテクノロジー企業がこのようなデジタルの関係を察知すると，肥沃（ひよく）な「新興市場」としての大陸の可能性に気づくかもしれない。この大陸は，かなりの数の「未開拓の」ユーザーを檻（おり）に連れてきて，消費者層を拡大できる（さらに重要なこととして，会社の利益を増加できる）場所なのだ。

「新興市場」戦略は，非政府組織（NGO）が世界各地で行ってきた「デジタルデバイド」への取り組みの長い伝統と一致する。NGOは，デジタルアクセスをもつ国ともたない国との間の「格差」を縮小するという旗印の下，世界の富裕国からグローバル・サウスへのテクノロジーの普及が基本的には「限りなく善である」とみなしてきた。そして彼らは，この普及から誰が利益や恩恵を受けているのかという疑問をしばしば無視してきた。ビル・ゲイツが「収益性によって貧困と闘う方法について興味深い青写真を提供している」と称賛した企業の技術バイブルである『ネクストマーケット（原題：ピラミッドの底辺にある富）』（2010年英治出版）の論理は，このようなものであった。ピラミッドの底辺は頂点よりもはるかに広い。底辺の人々がもつ一人当たりの資源が少ないとしても，それらを合わせれば，外国人や企業にとっては潜在的だが大きな収入と利益を意味することになる。

アクラにあるグーグルのAIラボ

グーグルもアフリカ大陸で熱心に活動している。2017年には，ギディ・モバイルやシヤブラといった非営利組織に，5年間で2000万ドルの助成金を拠出する取り組みを発表した。これらは，何十万人もの低所得学生に対してデジタル学習を無料で提供してきたアフリカの新興組織である。2018年にグーグルは，デザインが地域社会にどのような変化をもたらしうるかをイノベーターに問うプログラム「インパクト・チャレンジ」に，さらに500万ドルの助成金を贈った。これらの助成金は全体的に，教育と雇用の機会を拡大することで，何百万人ものアフリカ人に将来の仕事を用意することを目的としている。また，メンターをそろえたり，作業スペースやアドバイザーへのアクセスを提供したりすることで，新興企業の取り組みを支援することも目的としている。助成の対象はグーグルに利益をもたらすツールだけに限定されているわけではない。アフリカ大陸に住む人々に真に力を与える可能性のあるデジタルジャーナリズムその他の分野のトレーニングも含まれている。

しかし，ここにきて，基金や助成金よりもはるかに注目を集めているグーグルの動きがある。同社は，西アフリカの国ガーナの首都アクラを拠点として，AIラボを2019年に開設予定だと発表したのだ。

たとえば，黒人をゴリラと間違えた画像検索アルゴリズムのように，同社のAIシステムが犯した間違いを解決したいというグーグルの思いが動機なのだろうか。ヨーロッパ連合（EU）が一般データ保護規則（GDPR）の下で厳格なルールをもつようになった今，規制や政府の干渉が少ない新しいフロンティアに参入しようとしているのだろうか？

ラボの所長に就任するムスタファ・シッセに話を聞く前に，私はこのような疑念を抱いていた。セネガル出身のこの若いコンピュータ科学者は，オンラインコミュニティ「ブラッキンAI」の共同創設者でもあり，人種やアルゴリズムに関する議論を長く活発に行ってきた。彼は複数の大学で学位を取得し，北米やヨーロッパで働いた経験があるため，アフリカの技術者では例外的な存在だという。

シッセは，AIシステムが，世界で最初にオンライン化された場所や民族の価値観，バイアスなどを強化することを懸念している。彼によると，ラボはこの問題への対応であり，アフリカのユーザーを客体化していくのではなく，彼らから学ぶ製品を生み出していくという。

私の考えでは，世界の比較的インターネットになじみの浅い地域に営利企業が進出しようとする場合，たとえそのスタッフがどれほど善意をもっていたとしても，その企業の意図には疑問の余地がある。アフリカ人のために，そしてアフリカ人についてよりよいAIをデザインしようとするグーグルの試みは，グーグルに利益をもたらすためのものなのか，それともアフリカのユーザーにとっても助けとなるためなのか。

アフリカに拡大するというグーグルの動機が利他的というよりも利己的である可能性について尋ねると，シッセは反論した。彼は，テクノロジーとどのような関係を築くことがこの大陸の人々に力を与えるのかについて，アフリカ人以外が疑問を抱くのは不適切だと言った。その通りだ，と私は答えた。しかし，私の疑問はアフリカ人だけについてのものではない。時価総額が約1兆ドルに達した北米企業のあり方に焦点を当てているのだ。この会社がその巨大な富と権力を利用して，何よりもまず底辺から利益を得ようとしていることを憂慮すべきではないだろうか？　シッセは私の心配を払いのけて言った。「私たち(アフリカ人)はこのチャンスが自国にもたらされたことを非常に喜んでいるし，それが私たちの利益になると確信している。私たちアフリカ人が何かを自分たちにとってよいものだと思っているときに，ほかの誰が『いや，これはあなたにとってよくない』と言うことができるだろうか。それはパターナリスティックなのではないか」。

アフリカの地位向上

シッセとの会話で私は目を開かされた。グーグルは現在，自らをAI企業と呼ぶことが一般的だ。シッセはアフリカ大陸におけるグーグルのAI開発への取り組みを指揮することに，純粋に興奮している。シッセがほのめかしたように，私がアメリカの大学教授という特権的な立場にあるから，グーグルについてこのような批判的な質問を簡単に投げかけるのだろう。私には想像することしかできないが，シッセのようなグーグルの社員が，会社のリソースを使ってこの大陸の人を支援することに力を注ぎ，しかも私の思いつきのような批判に対応するのは大変だっただろう。シッセが人生の目標と生活をかけているゲームに私はまったく参加していないが，その状況は確かに特権的だといえよう。

それでも，アフリカのテクノロジーの勃興期にある現在においては特に，厳しい質問を投げかけることで論争的な問題を明らかにすることには価値がある。カメルーンの政治哲学者であるアシル・ムベンベの言葉と比較して，シッセの発言を考えてみよう。ムベンベは，西欧思想が普遍的なものとして扱われ，アフリカの人々にとって中立的で「当然」有益なものであるとされていることを批判している。テクノロジーのイノベーションにおけるアフリカの主導的役割は，ヨーロッパ植民地主義のトラウマに満ちたアフリカの歴史という具体的な文脈のなかで考慮されなければならない，と彼は書いている。

しかも，ムベンベが指摘するように，植民地主義は依然としてアフリカの物語の非常に多くの部分を占めており，不当な労働や鉱山採掘のような例で明らかにされている。多くの点で，アフリカ大陸で今も進んでいる資源の収奪は，デジタルテクノロジーと結びついている。たとえば，私たちの携帯電話のバッテリーに使われる鉱物コルタンは，モザンビークとコンゴ民主共和国で採掘されているが，2012年の時点でこれらのアフリカ諸国は，オーストラリア，ブラジル，カナダと並んで世界最大のコルタン生産国の一つとなっている。この鉱物の採掘に関連した労働慣行，環境への影響，いかがわしい政治的な取り決めは，ほとんど精査されておらず問題を含んでいる。コンゴでは，コルタンやその他の鉱物や天然資源（最も悪名高いダイヤモンド）の採掘が，人権侵害や内戦を引き起こしてきた。国連安全保障理事会の報告書によると，コンゴの隣国であるルワンダ，ウガンダ，ブルンジがコンゴからのコルタンの密輸に関与し，その収入がコンゴ国内での紛争の資金源となっていたことが明らかになっている。ルワンダ軍がこれによって少なくとも2億5000万ドルを稼いだ一方で，コンゴには金がまったく渡らなかった。多くの証言によると，コルタン鉱山では12歳にも満たない子供が働いているという。

このような搾取にもかかわらず，ムベンベはアフリカを「最後のフロンティア」，さらにいえば「地球上で資本の支配に完全に服従していない最後の場所」と見ている。アフリカ大陸には多くの未開発資源が残っている。これらの資源のおかげで，高齢化する世界のなかで2035年までに最も若く，最もダイナミックな人口が生み出されるかもしれないと彼は予測している。

欧米諸国は歴史的に直線的で段階的な発展の道筋をたどってきたが，アフリカはそうではない。世界のほかの発展途上地域と同様に,「鉄の時代」から「デジタル時代」へと「飛躍」してきたのだ。多くのアフリカ人にとって新テクノロジーは，電気のない状態から太陽光発電へと，電力網への依存抜きで飛躍することを意味してきた。同様に，多くのアフリカ人は，あらゆる意味で銀行を利用することができない状態から，銀行の支店が実際に街のなかにあるという中間段階をスキップして，モバイルバンキングへと飛び込んでいるのである。ムベンベは，このような発展を「絶え間ない，恒久的なイノベーション」と表現している。しかし,「この無尽蔵のイノベーションの能力が，アフリカ大陸を前進させ，よりスケールの大きな創造のために役立つようにするにはどうすればよいのだろうか」とも彼は問いかけている。

第20章　ウガンダのAI

本書を通じて私は，学習対象としたデータセットから学び，機械が「知的」になることが，アルゴリズムによってどのように可能になるかを示してきた。アルゴリズムは効率性，未来への鍵，そして世界人口の日常生活のほとんどに影響を与える「答」を提供する方法を約束する。しかし，AIには「ブラックボックス問題」がある。我々ユーザーは，アルゴリズムがどのようにして意思決定や予測に到達したかを知ることができない。そして，仮に知ることができたとしても，その創造者（通常はエンジニアや民間企業）はほとんどの場合，その内部の仕組みを秘密にしている。

グーグルがガーナに開設予定のAIラボを別にすると，アフリカがデジタル時代に「飛躍」した今，AI開発で何が起きているのだろうか？　本章では，アフリカにおける企業以外のAIの取り組み，特にウガンダの状況を見ていく。もしAIが大陸のすべての人のものとなり，その多様な文化や地域をサポートするために応用されるようになったらどうなるだろうか。遠く離れた場所にある巨大企業に個人情報を提供することなく，それを実現することができるだろうか？　私たちは，アフリカからの教訓を，世界中の

AI活用に生かせるだろうか？

マケレレ大学のモデルラボ

東アフリカの国ウガンダ，そして首都カンパラにあるマケレレ大学のAI&データサイエンスラボに話を移そう。このラボは，アフリカ人による，アフリカ人のためのデジタルテクノロジーを構想し，設計できると示そうとしている。そのことによって，非営利の公的機関であるこのラボは，世界のほかの地域のモデルになる可能性があるのだ。ラボの研究者たちは，資源管理，公共政策とガバナンス，農業（図20.1），交通，健康などの分野でAIシステムの研究に取り組んでいる。

ジャーナリストやグレッグ・ザカリーのような学者のおかげで，AI&データサイエンス研究グループの存在は2018年7月に訪問する前から知っていた。『ニューヨーク・タイムズ（*The New York Times*）』紙に掲載された記事でザカリーが説明しているが，ノルウェーの大学でコンピュータサイエンスの博士号を取得して帰国したばかりのウガンダ人学生が，2005年にマケレレ大学のコンピュータ・情報科学部を設立したのがこのラボの起源だ。それまでは，非常に基本的なソフトウェアの書き方やネットワークコンピュータの使い方など，比較的簡単なことしか教えられていなかった。しかし，ザカリーが説明するように，ウガンダの経済的繁栄により，多くの中上流階級の人々が工学や科学の学位を目指すようになった。あまりに多数の学部生が入学してきたため，教員は全員が授業を受けられるよう夜遅くまで臨時授業を行うことになった。

AI&データサイエンスグループのシステム設計と研究の両面における成功が証明しているのは，アフリカ大陸の大学とそれが属するコミュニティの手でプロセスが推進されれば，大きな技術的な成果が得られるという

図20.1 AIラボの技術を使って管理されている作物（出典：マケレレ大学）

ことだ。このグループの研究者は，ウガンダ人によるウガンダ人のためのAIシステムをつくり出すという情熱を共有している。たとえばこのグループは，500万人の住民が直面している市内の交通問題を観測するために，カンパラに点在するソーラーパネルに携帯電話のカメラを接続している。もう一つの例「Mクロップス」は，携帯電話と低価格の分光計とパターン認識ソフトウェアを接続し，キャッサバが示すウイルス性の病気を特定・

診断し，農家が病気の蔓延を食い止めるのを支援するツールだ。また，「クドゥ」というモバイルオークション市場も注目されている。農家やトレーダーが商品の価格，入手可能性，場所などの情報を入力することで，買い手と売り手をマッチングすることができる。マケレレの元学生であるブライアン・ギッタは，デジタル顕微鏡と携帯電話を使ってマラリアの診断を自動化する方法を開発したことで，イギリス王立工学アカデミーのアフリカ賞を受賞した。

マケレレのラボ訪問を受け入れてくれたAI&データサイエンスグループのアーネスト・ムウェバゼ所長は，若く，物腰が柔らかく，思慮深い教員だった。アーネストは私にジュリアンヌ・サンサ・オティムとエンジニアのバイノムギシャを含む同僚たちを紹介してくれた（3人とも40歳以下という若さだ）。ジュリアンヌは，ウガンダでは女性のコンピュータ科学者がいかに珍しいか，また，女子校での早期訓練によって，この分野で自分がやっていくために必要な自信がついたことを説明してくれた。バイノムギシャは，幼い頃から（文字通り，両親が彼の名前をつけた日から！）テクノロジーを使って物事をするように勧められていたと教えてくれた。AIラボの稼働当初，工学関連の博士号をもつ教員は二人しかいなかった。その数は今日では40人になった。アフリカの大学において，科学機器を入手したり高額な学術出版物を購読したりすることがいかに難しいかを考えると，信じられないほどの増加だ。

しかし，マケレレの研究者たちは窮地にある。海外からの資金に頼っているため，何千マイルも離れた場所にいる寄付者にアピールするような研究成果が必要だ。しかし一方で，地元で求められている製品をつくり，可能であればほかのウガンダ人との共同作業にも従事しなければならない。GDP増加を目的に資金提供を受けているプロジェクトでは，その生産物が経済全体に大きく貢献していない農民を無視せざるを得ないというジレンマが生じる可能性がある。トップダウンの「開発指標」を追求すると，文化的価値観や習慣が周縁化されがちだ。より広い公共レベルで適用される解決策は，社会の構成を均質に捉えがちだからである。

AIシステムは，ソフトウェアコード，データセット，適用される領域の三つの要因に大きく影響される。ウガンダのラボでは，地元の大気汚染，交通，キャッサバ農場の状況など，ウガンダ国内のデータをシステムに学習させている。だから，これまでにラボで開発されたテクノロジーは「決定的」なもの，つまりほぼ全員が「正しい」「間違っている」と同意できるようなものになった。キャッサバの病気も人間の病気も，大気汚染や交通渋滞と同じくよくないことであり，最小限に抑えるべきだということは，ほとんどの人が同意するだろう。

しかし，すべてがそう単純なわけではない。たとえば，最も病気に強いキャッサバの苗が育たず，代わりに早めに収穫したものを売っているコミュニティもある。なぜか？　生産者も病気に弱い作物を育てながら，病気との闘い方を学ぶのだ。このような文化的要因は，科学者や技術者が奉仕しているつもりの人々の生活について，時折しでかす単純化された思い込みに異議を唱えている。

ウガンダのAIシステムは，文化的多様性に力を与える可能性をもってはいるが，現在ラボで進行中のプロジェクトが特にそれを目指しているわけではない。将来的には，ウガンダのAIは，市民が政治的意見や作物の収穫技術，防災計画を共有できるように設計されているかもしれない。

大学以外でも，ウガンダ西部のカバロール地区にあるカセンダ，ブヘシ，ルボナの農村コミュニティの研究者チームが，浄水のない村で，コミュニティがどのように水管理に取り組むかについての研究を行った。研究チームは，効果的な水管理システムを構築するためには，持続可能で文化的な意識をもった財務管理システムによって，水使用料の定期的な支払い・徴収を確実に行う必要があると判断した。また，ウガンダ国外の機関が行った失敗からも学んだ。過去の水管理開発プロジェクトでは，ボーリング孔（水を採取するための立坑）を人々の家のすぐ近くに移動させていたが，これは大きな誤りであることが証明された。コミュニティからある程度離れた場所に設置されたボーリング孔の社会的有用性を見落としていたのだ。それは単に水を得るための場所ではなく，村の井戸やオフィスのウォータークーラーのように，人々が社会化し，コミュニケーションをとり，顔を合わせる公共の空間だ。開発機関から資金提供を受けたNGOは，協力対象の人々の文化を理解していなかったために，ボーリング孔を移動させることでお金と時間を無駄にしたのだ。

上記の例は，ウガンダのユーザーに実際に役立つツールを設計するうえで，現地の知識がいかに重要であるかを示している。工学，数学，コンピュータサイエンスは，遠くから輸出したり，雲のうえからコミュニティに落とし込んだりすることは不可能なのだ。もしそうすれば，マケレレ大学で講師を務めるフィオナ・ソジの言う「試行病」，開発途上国に導入された新テクノロジーが試行段階を超えて生き残れないという，ありふれた状況に陥ってしまうのだ。

ホームグロウンAI

ダニエル・ムテンベサを一言で表現するなら，「多才」という言葉以外考えられない。まだ27歳の彼は詩人であり，ミュージシャンであり，DJであり，セミプロのダンサーであり，空手の全国チャンピオンであり，そしてもちろんエンジニアでもある。マケレレのAIラボの前で彼に会ったとき，すぐに友達になり，ウガンダの文化，伝統，政治について熱く語り合った。彼は自分がコンピュータに取り組むことが，ただちに自国の人々への支援を意味していると考えていた。そんな人物にラボで会えたことに私は魅了された。

ムテンベサは，小さな韓国車で，キャンパスを離れて街のさまざまな興味深い場所に連れて行ってくれた。彼はウガンダの国立公園の現地語による呼び方を教えてくれた。これらの名前を使うことで，ウガンダの歴史や伝統に興味をもってもらいたいとのことだった。ウガンダの驚くべき多様性は，現地語が40以上もあることにも由来している。現地語は地域社会で使われており，主に大都市圏で使われている英語を除いては，コミュニケーションのために頼るべき共通の国語がない。

ウガンダのほとんどの人がそうであるように，ムテンベサも部族地域の出身である。ウガンダ南西部のアンコレとトロという地域（後者はコンゴ民主共和国と国境を接する）から出てきた。彼の国について学ぶなかで，私は歴史・文化の抹殺という悲嘆すべき傾向があることを知った。ウガンダに向けて制作され，視聴される娯楽の主流は，欧米ブランドに固執していることが多い。ラジオでDJがアメリカ訛りで話したり，アフリカのテレビがアメリカの番組「アメリカン・アイドル」「サバイバー」のまねをしたりしているのだ。インターネットも欧米のウェブサイトに支配されている。この状況をムテンベサは，西洋の規範や商品による国民意識や文化意識の侵犯と捉えている。AIラボがこれらの文化的・グローバルな力についてどう考えているのかを彼に尋ねてみた。コンピュータの活用は「現代的であること」（つまり西洋のまねをすること）の単なる手段として見られているのか，それともウガンダ文化の豊かで多様な伝統やコミュニティのアイデンティティや価値観を復活させ，支えることができるのか。

ムテンベサは後者であると熱烈に信じている。彼は，ウガンダの農民が作物を収穫する際どのような判断を下すのかを学ぶAIシステムを設計している。彼は，農学者の提案に対して，農家がどのような選択をするかを考察する機械学習モデルを構築しているのだ。遠いところで開発されたモデルをウガンダの状況に適用する場合には，潜在的な問題が生じる可能性があると彼は教えてくれた。しかし，ゲーム理論の強みは前提条件の少なさだということを考えると，別のアプローチが可能になるかもしれない。

ゲーム理論が考察するのは，特定の社会環境において参加者と協力するか競争するかの決定や，その選択を形成する要因だ。ラボのモデルによって，マケレレチームは予想外のことについて学ぶことができるようになった。たとえば，ムテンベサのプロジェクトにおいてAIラボのパートナーになっている国立農業研究所は，農家に対して大きな影響力をもっていることがわかった。その影響力は参加してくれる農家に金を払うラボよりもはるかに大きい。称賛はお金よりも大事なのだ。この重要な文化的価値を知ることで，チームは農家と協力して技術を応用し，生産量と収穫量を最大化した。

1962年にイギリスから独立したとはいえ，ウガンダは世界の政治的大国と不均衡な関係にあり続けている。欧米のメディアやテクノロジー，思想をやみくもに受け入れる傾向がある。その結果，「ウガンダの人間は，提言をうのみにする傾向が強い」とムテンベサは言う。「私たちのテクノロジーから研究，教育や健康のシステム，地名や公園につける名前に至るまで，私たちは資金提供者の資金やルールに従うことを余儀なくされている」。

これはAIラボにとって何を意味するのだろうか？　ラボが直面している課題はローカルであり，彼らが答えたいと思っている疑問はローカルであり，彼らがともに働いているコミュニティや植物や動物はローカルな存在である。しかし，資金調達のモデルはそうではない。その結果，国に奉仕するという観点から見れば不適切な問題にラボが取り組んでしまうこともありうる。

なぜ，これらの研究者たちはスタートアップ企業の世界に進出し，最終的には国内でより多くの富を生み出すことができるような連鎖反応を起こそうとしないのだろうか？　その理由は，ハードルが高すぎるからだ。まず，国は起業家をほとんど支援してくれない。近くのケニアの首都ナイロビとは異なり，ウガンダの首都でも国全体でも，テクノロジーに対する外国人投資の歴史はほとんどない。カンパラで働いている研究者の収入は，ビジネスマンよりも安定している。起業家が人件費を負担し，都市や国に多額の投資をするにはリスクが高すぎるのだ。

それにもかかわらず，ムテンベサは希望をもち続けている。ウガンダ人が生活に自己満足しており，西洋を無批判に称賛する傾向があるにもかかわらず，自分の国に深く根づいている遺産とアイデンティティを信じている。そのアイデンティティは，この国の土地と，多数の地元民族のコミュニティの言語，踊り，音楽に明確に存在する。これらの文化の表現は「人々の知識」であり，「技術やイノベーションを発展させて地域社会に貢献するための基礎となる」と彼は言う。

この例は，ザンビア出身の国際的に著名な著述家で，アフリカの開発経済学を専門とする経済学者であるダンビサ・モヨの視点と共鳴している。彼女は著書『援助じゃアフリカは発展しない』(2010年東洋経済新報社)で，アフリカの対外援助依存を批判している。対外援助のために「不幸と貧困が終わるどころか，増加している。(援助は)開発途上国のほとんどの地域にとって，政治的，経済的，人道的な災害であり続けている」。

モヨは，多くの近隣諸国と同様に，ウガンダの人口の50％が15歳未満の若年層であることを指摘している。彼女は，援助はアフリカ人を従属的な立場に置き，現地の創造性よりも外国の目標を重視することで，若者たちを無力化していると主張している。たとえば，世界貿易機関(WTO)が保証する農家への補助金は，一見役に立つように見えるかもしれないが，実際には地域経済に害を及ぼす可能性がある。補助金は主要品の価格を押し下げ，農家を経済的に不安定にし，売買条件の交渉ができないようにしてしまう。この証拠となるのは，世界の貿易市場でアフリカが全体の活動のわずか2％しか占めていないという事実だ。

東アフリカ，特にウガンダにおける私の経験は，必ずしもモヨの立場を裏づけるものではなかった。グーグル・リサーチイニシアティブなど特定のタイプの援助は，アフリカ大陸のトップ大学の一つであるマケレレの研究者や学生によるラボの発展を支えてきた。そこから生まれたのが，アフリカ全土の学者，研究者，技術者の間でのすばらしい連携である。

しかし，このような援助はその成長に上限をつくり出していたのではないだろうか？　マケレレのAIラボは，ウガンダの文化や市民の声への関心を欠いた外部からの援助は万能ではないことを明らかにしている。ウガンダの西隣にあるルワンダは，かつてアメリカや国際通貨基金（IMF）からの援助で同じような状況に直面したことがある。ルワンダは単に援助を受けるのではなく，IMFに最後通告を出した。「援助を受け入れるが，適切な者の手に入り，経済成長の適切な道を歩めるように，私たちの判断でやらせてほしい」。独立と依存の押し引きは，世界中のテクノロジーにおいてよくある話である。

第21章　ケニアの地元からのイノベーション

ウガンダの東隣に位置するケニアは，テクノロジーのための環境が発達している。首都ナイロビは「シリコンサバンナ」とすら呼ばれている。この名前が示すように，サハラ以南のアフリカではいくつものスタートアップ企業，起業家たち，イノベーターたちが活発に活動している。本章では，これらの活動が東アフリカ特有の文化，制約，環境をどのように反映しているかを紹介する。

欧米の大手ハイテク企業は，グローバル・サウスの国や都市に販売拠点を開設するのが一般的だ。しかし，ナイロビは単なる欧米企業の前哨地ではない。ナイロビは，アクラ（ガーナ），ラゴス（ナイジェリア），ヨハネスブルグ（南アフリカ）と並んで，アフリカ産テクノロジーの中心地だ。そこではインターネット関連の教育，仕事，ビジネス，制度が生まれ続けている。そして，欧米の企業も注目している。最近フェイスブックがアフリカ大陸に進出した際，マーク・ザッカーバーグはナイロビとその有力な起業家を何度も訪問した。グーグルもケニアの人材に投資している。IBMやマイクロソフトも研究所を設置した。

ナイロビのテクノロジー環境は発達しているが，この地域は独特の困難に直面している。電力危機が問題となっている東アフリカは，電力網への接続や有線の通信回線の確立に不可欠なインフラが歴史的に不足している。この地域の信じられないほどの多様性がもたらす複雑さのせいで，デジタル技術を含め，お仕着せの開発モデルがすべてを解決するという考え方が成り立たない（たとえばケニアには，少なくとも67の異なる言語と多数の異なる部族文化が存在する）。では，この複雑な状況のど真んなかに位置するナイロビが，欧米の企業の影響も受けずに，どのようにしてシリコンサバンナになることができたのだろうか？

ナイロビのハイテクブームは2007年に始まった。ケニア（および大陸の多くの地域）では，個人向けの銀行システムが貧弱であるかほとんど存在しないため，個人間での資金を送ったりやりとりすることが困難で不便であり，中小企業や個人企業の成長を阻害していた。同じ頃，サハラ以南のアフリカでは携帯電話のネットワークが急激に普及していた。2002年にはタンザニア，ウガンダ，ケニア，ガーナで10人に一人が携帯電話を所有していた。現在ではアメリカとほぼ同等の普及率となっている（アメリカでは成人の89％が携帯電話を所有しているのに対し，ケニアでは82％）。これに対応して，2007年にはボーダフォン傘下でケニア最大手の通信事業者であるサファリコムが，第19章で述べたモバイルマネーサービスであるエムペサ（スワヒリ語でペサは「お金」）を採用した。

エムペサのテクノロジーは，基本的機能しかない携帯電話でも動作する。このサービスの加入者は，自分の携帯電話番号に紐づけられた口座にお金を預けたり，暗証番号で保護されたテキストメッセージを使ってほかの人にお金を送ったり，携帯電話上の預金を換金したりすることができる。送金や換金にかかる手数料は少額だ。エムペサは，街の商店を代理店とするネットワークをもった「支店のない」銀行として機能している。

2017年に10周年を迎えたエムペサは，今もなお急速な成長と実績を誇っている。現在，ケニア，タンザニア，アフガニスタン，南アフリカ，インド，ルーマニア，アルバニアに1700万人の利用者がいる。このサービスは，多くの家族を貧困から救い出し，多くの普通のアフリカ人（まだ銀行口座をもっていない人が多い）をデジタル経済の世界へと導くという重要な役割を果たしてきた。今日では，どの携帯電話会社も独自のペサを作成しており，携帯電話さえあれば，ケニア全土を含むアフリカ大陸の多くの地域で，あらゆる種類の交換に加われるようになっている。

モバイルマネーは，アフリカの地元から生まれたイノベーションのなかで，最もよく知られており，普及している。第19章で見たように，モバイルマネーの成功の要因としては，高度な技術的成果よりも，環境によるものが大きい。携帯電話の接続性の高さ，銀行システムの弱さ，アフリカの人々の非公式な交流と交換の方法という三つが組み合わさって，何百万人もの人々の生活を一変させるイノベーションが実現したのだ。

このようなイノベーションが進行しているのを見たければ，アフリカのほぼどのような都市でもよい（あるいはグローバル・サウスの多くの都市），その街角に足を踏み入れてみるといいだろう。集団で所有・運営されているミニバスであるマタトゥは，不慣れなものには西洋の公共交通機関のように見えるかもしれないが，その運行方法からしてそう単純ではない。一番の長所は柔軟性だ。マタトゥのシステムは低所得の乗客を乗せても，オーナー，運転手，現金回収役の車掌に十分な収益を維持できる。

マタトゥに乗ることは，単にある場所から別の場所へ移動するという平凡な体験ではない。マタトゥは，生活，活気，騒音にどっぷりつかる社交空間でもある（68ページ，図21.1）。ナイロビの「ボブ・マーリー」線では，ジャマイカ，アフリカ，ヒップホップの音楽がミニバンから流れ，車掌が踊りながら通路を移動し，アクロバットのようにドアから身を乗り出す。

図21.1　音楽界のスーパースターのポスターが貼られたナイロビのマタトゥ

見知らぬ人同士でも会話が弾む。このように，マタトゥはアフリカの日常生活に浸透しているコミュニティの感覚を表している。

運転手や車掌を雇っているマタトゥの個人経営者は，自分たちだけでは経済的な不安定さという問題を乗り越えることができないことを認識している。その結果，ケニアのマタトゥの起業家たちは貯蓄信用協同組合

(SACCOs)で団結してきた。これらの協同組合は，組合員の預金を安全な金融商品に投資するほか，組合員のサービスの質を維持するために必要に応じて融資を行ったり，運転手や車に保険をかけたりしている。

これらのボトムアップ型のアフリカのイノベーションと，遠方から輸入されたデジタルソリューションに伴う問題を対比させてみよう。グーグルは最近，ケニアのマタトゥ内での支払いをデジタル化しようと試みたが，失敗に終わった。このディスラプションは，マタトゥの起業家にとって効率的な「ソリューション」であるとグーグルは想定した。しかし，現地では侵略的で不必要なものであるとしてそれを拒否した。なぜなら，地域の状況を無視し，コミュニティ内で行われる現金ベースの交換経済を産み出す役割をマタトゥが担っているというアイデンティティを弱めてしまうからだ。エムペサを例として簡潔にまとめるなら，国産のモバイルマネーシステムは問題を解決した一方で，グーグルは問題に干渉しようとしたということだ。

中国のシャオミ社が，アフリカでスマートウォッチ「Miバンド」を販売しようと試みたときにも，同じような輸入の問題に遭遇した。東アフリカのあちこちでいくつかの製品が販売されたが，うまくいったものはほとんどなかった。なぜだろうか？　制作者は，同社がリーチしたい顧客ではなく，自分と同じように見えるユーザーのためにデザインしたのだ。スマートウォッチの光学センサーが黒い肌では有効に機能しなかった。この製品がアフリカ大陸の協力者と一緒に設計されていたら，どのようなものになっていたか想像してほしい。確かなのは，肌の色が薄い人だけのためにセンサーがつくられることはなかっただろうということだ。

これらの例は，経済や政治と同様に，テクノロジーも文化的・社会的文脈のプリズムを通して読み解かなければならない理由を明らかにしている。これらの例は，世界の声に耳を傾けて学ぶことなくデザインすることは大きな間違いだと示している。

アフリカのすべてをつなぐ

20年前，エリック・ハーズマンはテネシー州立大学という，もともとは黒人向けだった大学でアフリカ研究の授業に出席し，スーダン（2歳のときから住んでいた）とケニア（母国）について学んでいた。教室のなかでハーズマンが目立っていたのは，彼の剛毛のヒゲや元ラグビー選手の体格のせいではなかった。教室にいた白人は彼だけだったのだ。

ハーズマンの両親は白人のアメリカ人言語学者かつ文化人類学者で，1977年に最初にスーダンに渡り，その後キリスト教の伝道のためにケニアに移り住んでいた。学費のために米海兵隊に入隊したハーズマンは，フロリダ州立大学でビジネスを専攻するためにアメリカに戻り，テネシー州立大学でも1学期を過ごした。しかし，卒業後，アフリカでの幼少期から抱いていたコンピュータへの愛と，アメリカでのIT経験が相まって，ナイロビに戻ることを決意した。

2008年，ハーズマンは非営利のクラウドソーシング・プラットフォーム「ウシャヒディ」（スワヒリ語で「誓い」）を共同設立した。このテクノロジーは選挙により発生する暴力から自然災害の復旧活動に至るまで，あらゆるものをユーザーが監視できるようにし，個人データを保護するためのもので，各自のサーバーにインストールすることができる。ハイチ（2010年の地震後），2011年のナイジェリア（そしてアメリカの国政選挙），日本（2011年の津波），内戦中のシリア，ハラスマップ（女性がセクハラやその他の虐待を報告するのを支援するサイト）など，世界中で何十万回も使用されている。

ウシャヒディは2007年のケニア選挙危機への対応として登場したもの

で，その意味では銀行がない状況から登場したエムペサとよく似ている。ケニアの人々は，テレビで見た報道が，友人や親戚から聞いたものと異なることに気づき始めていた。その後，政府が地元のテレビを閉鎖し，国際的な報道にも独自の欠陥や偏りが見られるようになった。ケニアの人々がお互いに直接話し，テキスト，ツイート，Eメール，写真をインタラクティブな地図上で共有することで，草の根からすぐに情報を得ることができるテクノロジーは，そうして生まれたのだ。ボランティアや人道支援団体は，2010年のハイチ地震後の救援活動の際にウシャヒディが実施した「危機マッピング」を高く評価している。

このプラットフォームが世界各地で使用されていることが示すのは，アフリカで生まれたテクノロジーが，この大陸から何千マイルも離れた地域社会や運動を支援できるということだ。2015年にオバマ前米大統領がケニアを訪問した際，ウシャヒディがアフリカのイノベーションの偉大さを証明すると語った。「ジンバブエからバングラデシュまで，市民はクラウドソーシングのプラットフォーム・ウシャヒディを使って選挙の安全を守ろうと活動している。それはまさにここケニアで始まったすばらしいアイデアだ」。この組織は，個人情報の収集を避けるという公約を守り，社会的，文化的，政治的な問題に対する「解決策」ではなくツールとして，人々が適切にテクノロジーを展開してくれると信じている。それがユーザーの信頼をウシャヒディが得られた理由だと，元製品管理責任者であるチャールズ・ハーディングは語る。ウシャヒディはシリコンバレーの衝動の対極だ，とハーディングはいう。「シリコンバレーは自分たちが問題だと思っていることを解決するためにテクノロジーを開発する。しかしそれが結局別の問題を生み出すのだ」。その衝動の結果として，「人間の選択と創造性，社会資本，民主主義の力に対する深刻な投資不足が生じているのだ」。

ハーズマンは最近では，「アフリカをインターネットに無料でつなげる」

という社会的使命のもと，BRCK（ブリック）という営利事業に力を入れている。

2018年にウガンダのAIラボで過ごしたのち，私は数週間，ハーズマンやナイロビのハイテク業界の人たちと一緒に過ごした。ハーズマン，レジ・オートン，フィリップ・ウォルトンは，失われた部族の一部だ。彼らは人生の大部分をアフリカ大陸で過ごしてきた外国人である。ウォルトンはブルキナファソ，コートジボワール，フランス，アメリカで育ち，物流やサプライチェーン管理，不動産，バイオメトリクスの分野で経験を積んできた。インドのテクノロジー開発チームで働いたあと，ウォルトンはアフリカでアフリカ人のためのテクノロジー開発を支援することを決意した。きっかけは，技術者に「枠にとらわれない発想」を求めたときに遭遇した，文化的なアプローチの違いだという。インドの開発者は，枠の外の世界が存在するかどうかを疑問視していたという。アフリカの開発者は自由奔放でとらわれない発想をするため，「何の枠だ」と答えることが多いそうだ。

• 炎天下のブリックの仕事

ハーズマンらブリックの共同設立者は，アフリカ人がウォルトンの言う「制約された資源の豊富さ」で問題解決にアプローチする方法を説明してくれた。彼らの目標は，仲間のケニア人に最低限のインターネットアクセスを提供することだ。

アフリカでは，技術的な創意工夫は街中で起こるものであり，ハーズマンはそのプロセスを最前線で見てきた。私が最初にハーズマンを知ったのも，彼がブログ「アフリガジェット」で非公式経済における技術的な創意工夫について語っていたからだった。この仕事のスワヒリ語である「ジュア・カリ」（熱い太陽）は，どれほど手間がかかり，激しいものであるかを物語っている。しかし，私たちはそれを批判したり，むやみに崇拝したりするのではなく，進行中のイノベーションとして，そこから学ぶことができる。

スーパブリック（SupaBRCK）は，ハーズマンとブリックチームが立ち上げた現在の旗艦的なイノベーションである。この小さく携帯できるサイズで，ソーラーパネルのついたWi-Fi装置は，電力やコミュニケーションに関するインフラが貧弱であったり存在しなかったりする地域でもインターネットアクセスを可能にする。スマートフォンやノートパソコンがあれば，モジャと呼ばれるプラットフォームを経由して，誰でもインターネットやローカルネットワークのコンテンツにアクセスできる。モジャとは，アンケートに答えたり広告を見たりするのと引き換えにインターネットアクセスを無料で提供する仕組みだ。スーパブリックは堅牢に設計されており，ほこりや汚れに耐え，万が一落としても衝撃に耐えるようになっている。ロジテック社のような西洋の標準的なルーターが生き残れない環境で，スーパブリックは問題なく稼働する。

スーパブリックの重さはわずか1200グラム。スマートなデザインでコンパクトだが，強力だ。イーサネット，Wi-Fi，3G，またはLTEリンク経由でインターネットへの接続を提供する。電力供給がなくてもバッテリーで10時間稼働するので，とても便利だ。ハードドライブとしても機能し，人々がビデオを見る際にストリーミングのコストを削減することができる。500GBのハードディスクは5TBまでアップグレードすることができ，スーパブリックとつながるいくつかのモデムは高速接続を提供する。

ブリックは2018年までに1100台近く（ケニアで約1000台，ルワンダで約100台）のスーパブリックを配備した。それらのほとんどは，都市と国をくまなく回るマタトゥに設置されている。スーパブリックの管理はマタトゥのドライバーに任せている。ユビキタスな交通システムと連携することの価値を認識しているのだ。同社は可能な限り自らブリックデバイスを販売しているが，ブリックを生産し，ほかの手段で流通させるための提携先やスポンサーも探している。そうすることで，ユーザーを増やし，インターネットアクセスを改善し，ユーザーや企業に新たな経済的機会を生み出すことができる。

ブリックは，ユーザーのニーズや要望を尊重しながら，アフリカ人のための安価な（可能なら無料の）インターネットアクセスをサポートする方法を模索しており，アフリカ人からデータを収集し，収益化するような搾取的モデルを拒否している。同社は，地域をサポートするという原則を受け入れており，その一部として60人以上のケニア人を雇用している。ハーズマンは，才能ある人材を採用するための「スター・ウォーズ」式手法について語ってくれた。育成の体制と協調性が整った環境のなかでスターダムを見せることができるようにするアプローチだ。ハーズマンは，彼らが創造性を用いて「ロケット」で飛び立ち，新しい組織，事業，機会を立ち上げてやがてはブリックと競合するようになると信じている。このように，同社の設計と技術力は，テクノロジーが展開される地域環境の制約と可能性のうえに築かれているのだ。地元についての知識をもとに，同社は持続可能な解決策，つまりアフリカの環境のためのアフリカのデザインを構築できたのだ。本部の壁には，ワイアード，エコノミスト，アフリカのさまざまな新聞の記事や賞状と一緒に，誇らしげに飾られたポスターがある（図21.2）。「ナイロビやニューデリーに住んでいるのに，なぜロンドンやロサンゼルス向けに設計されたテクノロジーを使うのか？」

ハーズマンは，『フォーブス（*Forbes*）』誌のインタビューのなかで，同胞のケニア人たちがインターネットへの接続をどのようにイメージしているかを次のように語った。

新興市場におけるインターネットの問題を解決したいのであれば，インターネットのインフラ自体を別の仕方で考える必要がある——あるいはそれこそがもともとの設計だったのかもしれないのだが——真に分散的に，ということだ。

インターネットという情報流通を理解するために，少し技術的な話をしてみよう。現在，インターネットのインフラは集権化されているように見える。そこでは集権的な系統「電力網」と，集権的な光ファイバーケーブルの系統「インターネット」にルーターを接続することによってアクセスが可能になる。アフリカでは，電力網のようなインフラは信頼性が低いため，

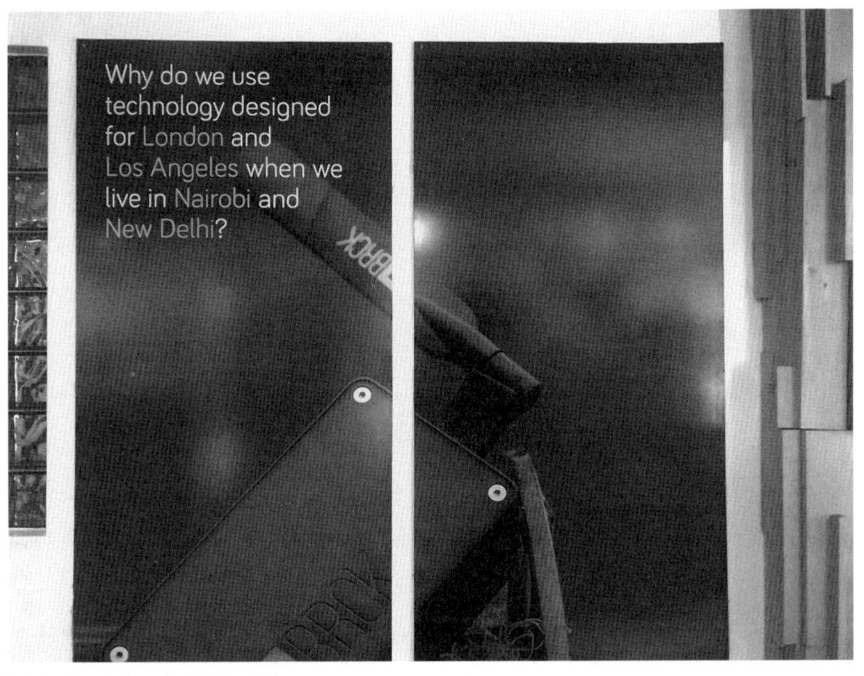

図21.2 ブリックの呼びかけ

この方法では接続性に多くの問題が発生する。大きな町や都市に住んでいない限り，ほとんどの人がインターネットに安定して接続できない。12億人の人口を抱えるアフリカ大陸では，大部分の人々がインターネットに接続し，コンテンツにアクセスすることができない。コンテンツが置かれているサーバーがアメリカやヨーロッパにある場合は特に問題となる。

インターネットへの接続可能性の欠如がケニア国内で大きな問題となったこともある。2017年の選挙で，ケニアは投票結果の改ざんを防ぎ，モバイルインターネット投票所からの自動集計で技術の進歩をアピールしようとした。しかし，ケニア全土にある4万1000の投票所のうち1/4で携帯電話の電波が受信できなかったため，結果報告は不完全になり，投票が不正に行われたとの疑惑が浮上した。

ケニアを含むアフリカの多くの地域では，いまだに接続が遅い状況が続いているが，第19章と第20章で統計を見たように，携帯電話の利用は爆発的に増加している。『エコノミスト（*The Economist*）』誌によると，「貧困国では携帯電話の普及率が10％上昇するごとに，一人当たりのGDP成長率が年間0.8～1.2ポイント加速する」という。「そして，人々がモバイルインターネットを手に入れると，成長率はさらに跳ね上がる」。つまり，インターネットへの接続可能性がないことによる経済的コストは大きいということだ。

携帯電話とインターネットアクセスによってイノベーションが起こり，経済成長を加速させて人々の生活が改善される。アフリカはほかの大陸に比べて製造業が少ないため，自動化による失業のリスクが低い（製造業の雇用はアフリカ大陸で5％，ほかの発展途上国は15～18％）。テクノロジーは，アフリカの経済成長を促進できるのだ。アフリカはすでに世界で2番目に急速に成長している労働人口を有している。2050年までに地球上で24億の新規人口が増えると予測されているが，うち13億人がアフリカ大陸だ。

ハーズマンらは，ここに必要性と機会の両方があると考えている。世界のより裕福な地域の人々がインターネットにアクセスできているなら，アフリカの貧困な人々もインターネットにアクセスできるようになるべきだ。それは特権ではなく権利だ。重要なのは，脆弱なユーザーやビジネスを搾取するのではなく，支援するビジネスモデルを見極めることだ。ブリックは，国際的な企業との間に一定の距離を置き，広告主とのかかわり方について独自の倫理的な道を見つけなければならなかった。ある従業員によると，広告主がセンシティブな個人情報を渡すよう要求してきたこともある。しかし，ブリックはユーザーを特定できる個人情報を現在に至るまで提供していない。

●「ロビン・フッド」精神

インターネットへのアクセスは権利であるという共通の信念のもと，ブリックは，現在30万人を超えるユーザーにとって接続可能性とは何かという問題に取り組んできた。ブリックを訪問した2週間，経営陣だけでなくほぼすべての従業員からこのような会話を毎日聞いた。世界の多くの国で当たり前のように使われている電力やサービスがそれほど安定していないため，欧米の設計手法はここでは通用しないと説明された。しかし，すでにいくつかの例で見てきたように，この状況にこそ大きなチャンスがあるのだ。アメリカでは代替手段とされる太陽光発電は，ケニアのような国では最も信頼できる電力源になるかもしれない。エンジニアはケニアがもつ資源を活用し，実際に環境や自然資源をサポートするようなソリューションを開発し提供することになる。グリーンな未来は，アフリカから最初に生まれるかもしれない。

たとえば，ブリックが開発中の新製品ピコブリック(「小さい」ブリック）を考えてみよう。このデバイスは，土壌，水，野生生物をスマートセンサーで監視するために設計されたもので，ブリック初のIoT（モノのインターネット）製品だ。同社がこの製品をつくり出そうとしているとき，社員は，アメリカやドイツの同様の取り組みについて話してくれた。たとえば，カリフォルニア州に拠点を置くシルバースプリング社は，（ブリックとは異なり）電力網に完全に依存した大規模なセンサーネットワークを構築している。ブリックのエンジニアは笑いながら，そのような実装は東アフリカではまったく機能しないだろうと言っていた。

ブリックのユーザーエクスペリエンス（UX）デザイナーであるマーク・カマウにとって，デザインは無限のリソースがある魔法の場所から生まれるものではないし，アップルやイデオのような欧米の巨人だけから生まれるものでもない。彼はテクノロジーに対する精神を鼓舞するブリックの原理を説明してくれた。裕福で多国籍の顧客に割り増しの高い価格を請求すれば，スタートアップ企業や街の非公式経済のビジネスマンや労働者に対して，低価格または無料のサービスを提供できる。そして，それが創造性を発揮する機会へとつながっていくのだ。彼はこれを「ロビン・フッド」アプローチと呼ぶ。金持ちから奪い，貧乏人を助けるのだ。

ブリックの従業員の多くは労働者階級の出身だ。多くは独学で，今日の地位を得るために苦労してきた。彼らは，街のハイテク界の友人たちを無視するのではなく，サポートして成功したいと願っているのだ。

サバンナのイノベーションとシリコンバレーのイノベーション

ケニアでは，必要性はイノベーションの母だ。リサイクルされ，あるいは廃棄された電子機器から3Dプリンターがつくられているのを見て，私はその工夫に驚いた。アフリカボーン3D（AB3D，図21.3）という会社は，

図21.3 AB3Dは廃棄物を3Dプリントビジネスに変える

最初は街角で通行人を客にして3Dプリントをし，次には街の倉庫を店にし，現在はナイロビの創業者の家で営業している。同社の二つの使命は，①電子廃棄物処理場やリサイクルセンターから電線や回路を回収して高品質のプリンターを製造すること，②同じ仕様の既製品を欧米から購入した場合の何分の1かの価格で販売することだ。AB3Dのプリンターは，中国の製品よりも安く，より頑丈で故障に強い。なぜだろうか？　それは，プリンターを設計する起業家が，現地の知識をもち，顧客の環境や現実を深く理解しているからだ。AB3Dはメンテナンスやサポートを提供しており，現在では全国の起業家にオンデマンドの3Dプリントを提供し始めている。AB3Dのマケタ・マイナは語った。「私たちは今も非公式経済のなかにいる。昔と違って屋根があるだけだ」。

AB3Dのような駆け出しのビジネスは，本章で紹介した非公式経済のジュア・カリ(「炎天下」)から生まれることが多いため，東アフリカ人は汗水たらして仕事をしているともいえる。即興であれ，ハッキングであれ，リミックスであれ，彼らは古いものを新しいものに巧みに変換し，死すべきものを生き返らせている。

東アフリカ各地の市場では，そのような強靭さを目の当たりにすること

図21.4 エチオピアのアディスアベバにあるメルカート(市場)の電子機器やその他すべてのもの

ができる（図21.4）。テレビ，自転車，靴，衣類，車，学校の机，ミシンなど，想像しうるあらゆるものが，これらのダイナミックな交流の中心地で修理されうる。デジタルテクノロジーも同様だ。携帯電話は半田づけし直して修理され，再販される。電子機器はつなぎ合わせられ，新しいハイブリッドテクノロジーが生み出される。これらはすべて，街の通りで起きていることだ。小さな木製のテーブルと廃棄された電子機器，そしてハンダごてだけで実現されているのだ。

シリコンサバンナとシリコンバレーそれぞれにとって，イノベーションとは何かを比較してみよう。アップルのスティーブ・ジョブズのような企業の神話的な「イノベーター」についていえば，イノベーションとは前進的なものである。それは「激変」や「ブレークスルー」のような言葉と同義であり，過去からの脱却や新しいものへの置き換えを表す「ディスラプション」のような言葉とも結びついている。西洋では，このプロセスは通常，一連の改善として特徴づけられ，私たちをこれまで以上に「近代的」または「先進的」な未来へと導くことになっている。

これがイノベーションを定義する唯一の方法でなければならないのだろうか？　理論家のスティーブン・R・ジャクソンは，デジタルイノベーションについてのこの単純すぎる考え方に異議を唱える。テクノロジーにおけるイノベーションとは何かを夢想する出発点として，目新しさ，成長，進歩ではなく，浸食，崩壊，衰退，持続可能性を置いたらどうだろうか？

ジャクソンはこれを「壊れた世界の思考」の実践と呼んでいる。このコンセプトは，哲学者ヴァルター・ベンヤミンに由来する。ベンヤミンは自分の生きた第一次大戦後の時代に，腐敗，破壊，そして「余波」を美学のカテゴリーとして理論化した。会話を止めるのではなく，それによって次のような問いを投げかけ，答えることができるようになる。壊れたテクノロジーやシステムを，修理やリサイクルの機会として捉えたらどうなるだろうか？　あるいは，これまでのメディアやテクノロジー研究の主流であった発信者・受信者，生産者・消費者，設計者・ユーザーといった，非常に限定された「二項対立的な存在のセット」の代わりに，新たな登場人物，つまり，壊す人，直す人，メンテナンスする人を含めて考えたらどうだろうか。

実際には，これら草の根のイノベーターたちはすでに世界中に存在して，自分たちの状況の脆弱性（たとえばアフリカにおける電力網の欠如）を設計の出発点にしている。

欧米中心の考え方では，開発途上国のすばらしいイノベーションの力を正当に評価することができない。しかし，グローバル・サウスのそこかしこでテクノロジーが開花する今，私たちにはこの誤りを正すことができる。アフリカのAIラボの可能性と成果について述べたように，ナイロビ，ケニア，アクラ，ガーナ，ヨハネスブルグ，南アフリカ，ラゴス，ナイジェリアなどから生まれた企業，事業，起業支援の可能性について考えてみたい。これらの企業は，これらの取り組みの生まれた現地で，新たな雇用や産業を創出して人々に奉仕し，支援することが（そして新たなタイプのテクノロジーを開発しデザインすることが）できるのだろうか？　それとも，開発途上国の多くの場所で，外国からの援助や使途を限定された資金，欧米や中国からの低レベルなアウトソーシングのような従属モデルから抜け出せなくなるのだろうか？

イノベーションについての新しい考え方を，ブリックの新星の一人に当てはめてみよう。ケニアのマサラニ村に住む青年，ヤシン・モハメド・バレにとって，イノベーションは「つくっては壊し，開いては閉じ，リサイクルしては組み立て，試し続けること」を意味している。

バレは，将来は軍隊で働くしかないと考えて育った。それは彼の父親と同じ道であり，経済的にも，おそらく感情的にも，父親がサポートできるのはそれだけだったと思われる。しかし，バレは機械をいじるのが好きだった。壊すこと，改造すること，つくることが好きだったと話してくれた。学校ではさまざまな「副業」をしていたが，理科や工学の教育のほとんどは理論的なもので，ブリックのプロダクトデザイナーで機械エンジニアという現在の仕事に応用するのは難しいものだった。

ほとんどのブリックのエンジニアと同様に，バレは独学で知識を身につけた。バレが家に帰って自分の肩書きを話すと，地元の人は彼を機械工や鍛冶屋だと思ってしまう。「機械エンジニア」や「プロダクトデザイナー」という言葉は現地語にはないのだ。結果として，彼の地元の友人や隣人にとっては，バレの仕事は単に一般的でないだけでなく，異世界のものとなる。

バレが直面してきた環境を考えると，彼がスーパブリックのメカニックデザインを担当しているのは驚くべきことだ。「アフリカ人がアフリカのためにデザインする」という同社のモットーの通り，西洋の設計のやり方ではブリックはうまくいかなかっただろうとバレは語った。マタトゥの走る道の悪さや，すれ違う車の騒音や振動が考慮されないだろうと。スーパブリックには，衝撃に強く，頑丈な設計が必要だった。振動を吸収するために，バレのチームは，ナイロビでも欧米でも市販されていないゴム製のワッシャーを自作した。

設計中にチームが取り組んだもう一つの問題は，ナイロビの雨季と何カ月も続く暑さに耐えられる電子システムをどのようにつくるかだった。彼らは，スーパブリックを覆う箱がヒートシンクになるように設計した。電子機器自体の筐体（きょうたい）内の材料や空間が，回路基板から発生する熱を逃すことができるようにしたのだ。

これらは，「アフリカのためのデザイン」を目指す人を待ち受けている課題と機会のほんの一部に過ぎない。そして，このモットー自体が一般化されたものであることを認識しなければならない。アフリカ各地の環境は，似ている点もあるし，異なる点もある。そのため，ブリックは，ナイロビとヨハネスブルグを結ぶ2500マイルのバイクの旅，ケニア山の頂上への登山，ケニア沿岸のペンバ島への航海などの厳しい環境で製品をテストしている。

ほかのアフリカのハイテク新興企業と同様に，ブリックも経営の持続可能性と成長の点では順風満帆というわけではない。それにもかかわらず，同社は財務的余裕を保ちながら，同時に創造的で社会性のあるエンジニアの文化を育て，ほとんどが貧困層や労働者階級のユーザーに価値を提供するという困難な課題に取り組んでいる。

しかし，課題はチャンスになることもある。たとえばピコブリックは，水質，土壌肥沃度，気候変動の脅威などの環境モニタリングが重要であるコミュニティで役立つ可能性がある。しかし，このような場所にブリックの技術を導入する際に，電力やモバイルデータネットワークなど，信頼性の高いインフラがないという問題がある。そのため，ハーズマンのチームは国内の農村部で独自のLTEタワーの建設（または提携）を進めている。モバイル通信事業者と契約するよりもはるかに低コストでの導入が可能だという。LTEは音声ではなくデータ向けのモバイル通信技術であり，このネットワークに接続された人々は，従来の電話サービスではなく，スカイプやWhatsAppのようなアプリケーションへのアクセスを提供されることになる。ブリックは，大陸の多くの地域で固定回線の段階を飛び越えたモバイルインフラのように，LTEを利用してより安価なサービスを提供しようとしている。高コストで官僚的で利己的な事業者に頼るのではなく，自ら全体をコントロールし，すべての人にサービスを提供できるような力をもつことを目標としているのだ。

ブリックのサービスの可能性は，すでに大陸のあちこちで想像力と希望をかき立てている。ピコブリックは現在，ケニア北部のダダーブ難民キャンプに設置されている。同キャンプには隣国ソマリアの紛争から逃れてきた25万人以上の難民が一時的に居住している。国連難民高等弁務官事務所（UNHCR）の資金提供を受けて設置されたピコブリックは，水の質と利用可能性をチェックしている。ブリックのエンジニアは，ピコブリックをスーパブリックと連携させることで，難民が家族とつながり，経験を共有し，仕事や収入を得ることができるようになるのではないかと興奮して語った。

しかし，隣国ウガンダのAIラボと同様に，ブリックは資金調達で大きな課題に直面している。ベンチャー投資家は，自分たちに似ていなかったり自分たちのように行動しなかったりする人や組織への投資を拒否することがよくある。この問題は，シリコンバレーのなかでも大きくクローズアップされている。たとえば，熟練したエンジニアでシリコンバレーの「多様性問題」を批判してきたトレイシー・チョウの指摘では，白人・男性・欧米系の起業家は，そうでない人よりはるかに資金提供を得やすいと指摘している。シリコンバレーの投資家は，何千マイルも離れた国の企業を支援しようとは考えないだろうし，従業員の90％以上が黒人のケニア人であるブリックがその例外となることもないだろう。

調査によると，ベンチャー投資家の40％がハーバード大学かスタンフォード大学出身で，業界の82％が男性（60％が白人）だ。黒人投資家はどうだろうか？　その5割がこの二つの名門大学の出身であることが判明した。ベンチャー投資の世界は「偏狭で，実力の支配（メリトクラシー）というより鏡像の支配（ミラートクラシー）であり，自分に似た者を高く評価している」。投資家がアメリカにある少数のエリート大学の出身者になりがちであることを考えると，テクノロジービジネスを世に送り出すパイプラインは，人種やジェンダー，さらに認知の多様性の観点から見ると塞がれた状態になってしまう。

確かにハーズマンは白人男性だが，ほかのすべての点で彼のビジネスはシリコンバレーの投資家が住んでいる世界とかけ離れている。もし彼がブリックの本社をシリコンバレーに移すことを決めたなら，資金は劇的に増加するだろうが，アフリカ市場向けの「正しい」製品を開発する能力は損なわれるだろう。ケニアの文化において個人的な交流が重要であることを考えると，はるか遠い場所から従業員やエンジニアを管理することは不可能だろう。

ブリックは社会的インパクト投資*の資金を受けているが，これは開発途上国のテクノロジーへの取り組みが分類されがちな領域だ。しかしブリックが行っていることは，多くの点でこのような社会的活動のカテゴリーに押し込められるべきではない。確かに，ブリックは成長しようとしているビジネスであり，社会的な良心をもっている。しかし，その使命や目標を欧米の慈善活動のカテゴリーに当てはめるのは的外れだ。同社が行っていることは，西洋的な定義による慈善活動ではないし，厳密には起業家的なものでもない。それは別の太鼓の音に合わせて行進している。私たちがビジネスや社会的インパクトについて考えるときに慣れ親しんできたものとは合致しないのだ。

発展途上国でビジネスを行うためには，お金の近くにいるか，人々の近くにいるかのどちらかだ。ブリックは明らかに後者を選択した。このハイテク企業は，ケニアとアフリカの近くにいることで得られる力を大切にしている。地域でエンジニアを雇用し，企業と提携し，ユーザーにインターネットへの接続可能性を無料で提供するよう努力している。

しかし，ブリックの「人々に近い」という姿勢は，欧米のベンチャー投資家などの資金提供者の嗜好とミスマッチであるだけではない。それはまた，同社のパートナーとなる可能性のある国際的な組織や企業の多くとも緊張関係にある。私が知った限りでは，少なくとも三つのグローバルな組織がケニアに足がかりを得ようとしている。グーグル，フェイスブック，そしてアメリカの海外民間投資公社(OPIC)である。

三つの組織はそれぞれ，より多くのケニア人をオンラインに接続するという目標を掲げ，異なるアプローチをとってきた。OPICの職員は，ブリックのような組織の存在を認知もせず，連絡もとらずケニアにやって来た。グーグルは，熱気球に中継装置を搭載してインターネットアクセスを提供する計画(ルーン・プロジェクト)とコネクティビティ・ラボを通じて，国の各地に高価な携帯電話基地局を建設している大手通信事業者と提携している。その目標は，自社でインフラを構築することにより，インターネットのあらゆる体験がグーグルのデータ収集プラットフォームやサービスを経由して行われるようにすることである。一方で，フェイスブックは(他のすべての失敗は措いておいて)戦略的であり，ブリックと提携してマタトゥでの無料のインターネットサービスを提供している。ブリックのユーザーがWi-Fiにログインする際にフェイスブックのアカウントを使うことは強制されていない。その代わりに，興味のあるユーザーにはフェイスブックアプリのアップデートを無料で提供している。フェイスブックは，ケニアでオンライン人口が増えれば，フェイスブックのユーザーも増えるだろうと考えているのだ。

ハーズマンは，2016年にマーク・ザッカーバーグがナイロビのオフィスを訪問した際のことを話してくれた。会議中にフェイスブックの衛星が爆発した。より多くのユーザーをプラットフォームに接続させ，より多くのデータを収集するという億万長者の計画の一つが消滅したのだ。同じ頃，フェイスブックはインドでも大きな打撃を受けていた。ユーザーや規制当局が無料の基本サービスを拒否したのだ。無料インターネットの計画が，

---

*社会的課題の解決を目指す投資。

意図的に選ばれたスポンサーつきのコンテンツのみを提供しているという理由だった。

これらの事件は，何千マイルも離れた場所から「ソリューション」を生み出すのではなく，地元のパートナーを信頼することが重要だということをザッカーバーグに確信させた。もちろん，これは本書で論じてきた世界各地のユーザーコミュニティに対するフェイスブックの度重なる怠慢とは別の話だ。それにもかかわらず，現在フェイスブックはブリック側の条件を受け入れて同社のマタトゥ事業全体に資金を提供しており，隠されたデータ収集やマイクロターゲティングもない。これは，草の根の起業家だけでなくユーザーである私たち全員にとって，まれに見る大きな勝利といえるだろう。

ブリックの話は，テクノロジーだけの話ではなく，文化やビジネスの話でもない。それは，多くの分野やコミュニティの間でイノベーションを起こし，その視点からインターネットを見直そうとする大胆な試みなのだ。ブリックが収集した匿名化されたデータからは，ユーザーが自分の街や地域，国とかかわる手段としてネットワーク接続に興味をもっていることがわかる。「ママ・ムボガ」と呼ばれる地元の野菜商は，ブリックのプラットフォームを利用して，自分の近所だけではなく，街の潜在的な顧客にリーチすることができる。ミュージシャンは，YouTubeやiTunesにのみ込まれてしまうのではなく，地元の聴取者を直接ターゲットにすることができる。実際，ユーザーがモジャでやりとりするコンテンツの80％は，国内に限定されていることがわかっている。

フィリップ・ウォルトンが私に言ったように，「ここケニアでは，私たちは原始のスープのなかにいる。欧米がオンラインでやっていることをまねするのではなく，有機的に革新していくのだ」。すでにケニアでは，世界のほかの地域が最終的に取り組む可能性のある解決策が見出されている。エムペサのおかげで，アフリカの人々の間では，欧米よりもはるかに速くお金が動かせるようになった。必要な機器は，限られ，時には壊れたインフラのなかでも稼働するように設計されてきた。ウォルトンによれば，テクノロジーはノミに刺された痕をかいたり，ライオンと闘ったりするために使われることもあるという。言い換えれば，アフリカでは，テクノロジーが適用される現実の問題は，巨大なスケールで展開されている欧米に比べると，より目に見えるものであるといえる。

しかし，アフリカで生み出された技術は，世界中の人々を助ける可能性も秘めている。「ウシャヒディ」がアメリカを含む数十カ国で使われていることはすでに見た。また，ブリックシステムを使用することで，きれいな水へのアクセスを必要としている南北アメリカやヨーロッパのコミュニティを支援することもできるだろう。最近のミシガン州フリントの鉛汚染水危機を思い出してほしい。以上を念頭に置いて，私はハーズマンに，アフリカの企業が成長し，雇用や市民の可能性を育成し，欧米の企業に比べて劣った立場にないような「デジタル・アフリカ」が将来の姿だと思うかと尋ねた。ハーズマンは，韓国のサムスンのようなアジアのハイテク巨大企業を例としてもち出した。多くの企業は，しばしば欧米からアウトソースされた厳しい仕事をしなければならなかったが，さまざまな分野で世界経済をリードできるようになった。彼は，アフリカが同じゲームに参加するときが来た，テクノロジーを使い，革新し，創造する労働力から始めるときが来た，と言った。そこから，この大陸とグローバル・サウスで機能しているものに基づいて，まったく新しいパラダイムが出現する可能性がある。しかし，そのためには，テクノロジー開発のプロセスは，アフリカを含む世界中の人々のビジョンや願望を尊重するものでなければならない。

人々を一つにする：アフリカからのクラウドソーシング

スワヒリ語でコミュニティを意味する「ジャミイ」は，東アフリカの至るところに存在する。ジャミイは，私が訪れたどの場所でも力を発揮し，人々のアイデンティティや運命を，家族や社会，時には国家のアイデンティティと密接に結びつけるという生活哲学を呼び起こしていた。

ブリックは，ほかの数百のテクノロジー企業と同様，ハーズマンが2010年に共同設立したナイロビのiハブというコミュニティから生まれた。iハブはナイロビのコワーキングスペースであり，テクノロジーの新規事業育成も行う。この組織は単なる物理的なスペースではない。デジタル革命がケニア人にとって何を意味すべきかを喚起する価値観の集合体でもあるのだ。政府や民間企業の説明責任を果たすためにテクノロジーをどのように使うか，インターネットを女性が自分の視点を表現するための安全な場所とするにはどうすればよいか，オンラインの安全性やデータセキュリティをどのように守るかなど，さまざまな問題についてワークショップを開催し，調査を行い，政策文書を作成して国に助言してきた。

しかし，過去20年間にアフリカ大陸全体で生まれたイノベーションは，民間部門やストリート，教育システムだけから生まれたものではない。デジタルインフラをサポートするための政府のコミットメントも貢献したのだ。ケニアでも同様だ。2006年，ケニアの情報通信省職員であったビタンゲ・ンデモは，同国の情報通信技術開発のための基本計画を作成し，これが最終的にケニア政府を行動に駆り立てた。2008年には，東アフリカ諸国のブロードバンド環境を改善するための光ファイバーケーブル建設プロジェクトTEAMSが，ンデモの指揮の下で開始された。このような高速インターネットアクセスを促進する事業は，当然ながらケニアの企業や機関にも恩恵を与えている。2013年に政府は，情報社会と知識経済の発展に向けた計画を，「ケニア・ビジョン2030」に明記した。この政策の青写真が目指すのは「ケニアを2030年までにクリーンで安全な環境にし，全国民に高品質の生活を提供する，新たに工業化された中所得国へと変貌させる」ことだ。

これまで，アフリカのイノベーションのビジョンがどのようにして新興テクノロジーを形づくったかについて述べてきた。しかし，ブリックのモデルは，シリコンバレーから遠く離れた人々がデジタルの世界に参入する唯一の方法では必ずしもない。次にラテンアメリカに目を向けると，より刺激的な可能性が存在する。ユーザーや地域コミュニティによる電話・インターネットネットワークの集団所有・設計だ。

第22章　モバイルパワー・トゥ・ザ・ピープル：メキシコ先住民のネットワーク

メキシコ南部にあるオアハカ地方の山間部は，アメリカ大陸で生物学的かつ文化的に最も多様性のある地域である。そこでは，テクノロジーの再構築が行われており，世界最大のコミュニティ所有の携帯電話ネットワークである先住民コミュニティ通信(TIC)プロジェクトがある。

TICは，ハッカー，活動家，地域の先住民コミュニティのリーダーたちによって2012年に設立された組織で，何世紀にもわたる草の根の政治運動と，自律性，共同性，集団性の重要性を称揚してきた哲学から生まれた。TICはオアハカ・デ・フアレス市を拠点に，サポテク族，ミステク族，ミへ族の63以上の先住民コミュニティに，各コミュニティが所有する独立した携帯電話ネットワークを構築してきた。この取り組みは，メキシコで通信ネットワークを構築するうえで最も過酷な条件である，高地，雨，鬱蒼とした森，電力などの信頼性の高いインフラがないという状況にもかかわらず，3500人以上の人々に毎日サービスを提供してきた。

オアハカ州はメキシコの先住民族人口の約1/3を占める地域で，少なくとも16の言語と数十の方言が使用されている。TICの設立は，文化的・言語的に大きな多様性のある場所から新しい技術革新が生まれうることを示している。この地域にはメキシコの動植物の約半分の種が生息しており，アメリカドクトカゲやジャガー，直径40フィートの世界一太い木などが存在する。

テクノロジーの革新が起きるのは，シリコンバレーの研究所や中国のハイテク企業，あるいは世界のエリート大学だけだと考えられがちだ。しかし，TIC（とその姉妹組織で世界規模の活動をしているリソマティカ）の共同創設者であるピーター・ブルームによると，「シリコンバレーにいて問題を見つけ出し，その解決策を考えている人たちがいる。しかし，それは誰の現実にも根ざしていない」。

メキシコでは，TICと通信企業の間には劇的な違いがある。競合相手であるテルセルやモビスターのような商用携帯電話サービスが，ユーザーがコントロールも交渉もできない料金でサービスを提供しているのに対し，TICはユーザーのコミュニティが所有する安価なサービスを提供している。TICは，テクノロジーへの「アクセス」と交換に，すでに経済的に貧しい人々からできるだけお金を引き出そうとするのではなく，メキシコの先住民文化に深く根づいている自己決定の価値観に基づいて，テクノロジーの民主化への道を切り開くことを目指している。TICもリソマティカも非営利組織であり，会員からの資金と時に得られる外部からの助成金や寄付で賄われている。

2016年から2018年までの3年間，私はTICがサービスを提供している村の30人以上の住民や，TICとリソマティカのスタッフにインタビューを行った。本章では，この取り組みの可能性と課題を検討しながら，さまざまな視点からのストーリーを紹介する。

接続可能性はすべての人にとって正しいのか？

世界で何十億人もの人々が携帯電話にアクセスしており，総人口70億人のうち60億人が携帯電話を利用しているという推計もある。これらの人々の多くは，インターネットには電話でしかアクセスできない。

携帯電話が，世界中の貧しい地域や農村地域の経済発展を支える最も有望なテクノロジーであると広く捉えられているのも不思議ではない。携帯電話がインドの漁師をどのように支援できるかを説明するプロジェクトから，携帯電話へのアクセスと一人当たりのGDPとの間に正の相関があることを示す研究まで，携帯電話は有線電話よりも安価で，既存のインフラへの依存度が低いと称賛されている。

しかし，2010年に市民メディア学者のイーサン・ザッカーマンが指摘したように，たとえ同じ技術が移出され，同じような方法で実装されたとしても，携帯電話を世界共通のデバイスとして理解することはできない。接続可能性に関するそれぞれのコミュニティの経験は，おそらく非常に異なっている。的確な理解のためには，それがどのように使われ，誰によって使われているのかを考える必要がある。国際的にコミュニティネットワークの支援に取り組んできた活動家のスティーブ・ソンは私にこう言った。「携帯電話ネットワークの最大の価値は，人々がお互いにつながることにある」。携帯電話が何を実際に実現するかには，目標や関心事，目的を定義するコミュニティの価値観がすべて関係してくる。

国民の基本的な生活に必要なものの提供にすら苦慮している貧困国や開発途上国にとって，通信技術は何よりもまず経済的なニーズや目標をサポートする必要がある。投資を必要とするインフラは，地域社会の最優先事項ではないかもしれない。ソンが指摘するように，「貧困線以下の状況では，インターネットの価値は自明ではなくなる」。つまり，いつも財政が逼迫（ひっぱく）している貧困層の国やコミュニティにとって，インターネットへの投資は，どんなに低価格であってもリスクを伴うということだ。

以前の章で，テクノロジーへの無批判な関わりは問題の解決にならないことを示した。ユーザーではなく提供者の条件に基づいてテクノロジーへのアクセスを供給すると，結果は非常にありきたりなパターンとなる。不平等を減らすのではなく，むしろ増大させるのだ。このような理由から，どのような人がどこに住んでいようと，インターネットや携帯電話が魔法のように人々に力を与えてくれる，というよくある考えを捨て去る必要がある。しかし，コミュニティの利益のためにコミュニティが決定した方法でインターネットや電話サービスに接続することは可能なのだろうか，それとも媒介者による搾取は排除できないのだろうか。

通信技術が新しく提供される過程で，多様な文化や地域のユーザーに真の意味で奉仕するには，繊細で広い視野をもつことが必要だ。ノーベル賞を受賞した経済学者エリノア・オストロム（故人）が，サービス提供者とユーザーの協力関係として説明した「共同生産」という概念がある。オストロムにとって共同生産とは，「物やサービスを生産するためのインプットが，同じ組織内にいない個人によって提供されるプロセス」であり，製品やインフラの開発で見られる典型的な生産者とユーザーの関係が曖昧になっている状態だ。その代わりに，共同生産を通じて「市民は，自分たちにとって有益な公共財やサービスを生産するために積極的な役割を果たすことができる」。

世界中の多くのコミュニティでは，電話網が音声でのコミュニケーションをサポートし，同じ地域社会・地方・国のなかの，家族・同僚・買い手と売り手の間の調整をサポートしている。地域の通信事業はこれを行うための最適な立場にあることが多い。全国レベルの企業がとりがちな，規模の経済のアプローチにとらわれることなく，人々の身近な存在であるためだ。アフリカの例で示したように，地域の状況を熟知しているかどうかに成功がかかっているのであれば，その場所に住む人々との協力関係を育むという決断をするほうがよいのは考えるまでもない。開発途上国のコミュニティでは，経験は専門知識と同義であることが多い。現地の文化，伝統，価値観を熟知した経験は，技術プロジェクトを成功させるうえで非常に貴重なものとなるのだ。

インフラの政治と文化

通信テクノロジーは，遍在していると同時にどこにも存在しないように思えることがある。これは「クラウド」と呼ばれ，データが存在する不思議な場所を表現するための比喩として適切である。しかし現実には，インフラストラクチャはあらゆるテクノロジーの基盤だ。インフラが，技術を実際に人々の生活に役立つものにしてくれる。技術的な目標を達成するために設計された電線，プラグ，水中ケーブル，鉄塔は，私たちが使用する美しいアプリや，私たちが欲しがるエレガントなデザインの機器と同じくらい（あるいはそれ以上に）重要だ。しかし，インフラはどこにでもあるにもかかわらず無視されていて，故障して初めて私たちの注意を引くということがよくある。

インフラを構成する要素，たとえば，それが構築される自然環境，そのために使用されるツールや材料などは，テクノロジーが消費者に見せる顔よりもはるかに「セクシー」ではない。うまくつくられたゲーム，クリアな音声の電話，またはSiriやアレクサの巧みな会話は，地面に埋もれた電線よりも私たちの注意を引くだろう。技術システムを支えるこれらの基本的な素材は，最初は退屈なほど中立的なものに見えるかもしれない。しかし実際には，インフラストラクチャの設計と開発は，中立的な科学とは程遠いものだ。たとえば，Wi-Fiシステムの開発には，どのような電力網，電線(ケーブルなど)，またはそれを接続するための材料などを使うかといったまったく中立的でない決定を要する。それらの決定は，誰が電線を所有し，電力網を運営するかによって判断されるのだ。電力網を運営しているのは犯罪組織だろうか，友好的なビジネス上の協力者だろうか，全体主義の政府，はたまた元夫がCEOを務める企業だろうか？　これらの状況は，システムの設計と実装の選択に大きな影響を与える。インフラを構築し，管理する際に，これらの疑問がすべて浮かび上がってきて，問題が政治的，文化的，社会的なものになる。

地域に根ざした取り組みのためには，人と環境のスケールでインフラを考える必要がある。そのためには，中央集権的で大規模な技術システムという発想から離れなければならない。すべての資金と権力が集まる遠く離れた場所からアクセスされるのではない，草の根レベルでインフラがどのようにしてつくられて管理されるのかを考えてみよう。

第17章で説明したコミュニティが運営するメッシュネットワークのように，メキシコ南部のTICは，分権化された形で人々がネットワークに接続できる可能性を提示している。ここでの分権化とは，権限とコントロールを中央政府や強力な企業から地域コミュニティに移譲すること，トップダウンからボトムアップへ移行させることを意味している。所有権から設計，メンテナンスまで，TICは，コミュニティがテクノロジーに対して力をもてることを明らかにしているのだ。

俯瞰すること

TICを利用しているコミュニティは，オアハカ渓谷周辺のシエラフアレス，ミクソアルト，ミシュテカ，シエラスル地域にまたがっている。2012

年には，ビージャ・タレア・デ・カストロ（シエラフアレス）の町が最初にTICに参加し，現在では14の町が参加している。これらの地域では，TICは携帯電話基地局の建設や機能的で手頃な価格の携帯電話システムの構築を可能にし，ユーザーを自分たちのネットワークの積極的な創造者や所有者に変えてきた。

オアハカ州の多くの先住民族は農村部に住んでいて人口が少なく，所得水準も低いため，TICメンバーのコミュニティはインターネットや携帯電話の接続に関して十分なサービスを受けられていなかった。これはメキシコだけではなく，世界中で起きていることだ。お金をもったユーザーが多いほど，ネットワークが形成されやすく，ユーザーが「サービスを受けられる」傾向にある。

このようなパターンを前提にして，十分なサービスを受けられない人々をつなぐために開発されたサービスは，しばしば先住民や農村部のコミュニティを「最後の1マイル」と捉えている。TICに参加している人たちのようなコミュニティは，完全に排除されはしないにしても，あと回しにされるのが普通だ。サービス提供者がユーザーコミュニティを「最後の1マイル」というレンズを通して見ると，ユーザーは誰が開発しても（誰が利益を上げても）とにかくデジタルネットワークインフラのプロジェクトに入れて欲しがっているように思われてしまう。

しかし，そう考えねばならない理由はない。ユーザーコミュニティを顧客として考えるのではなく，通信ネットワークやテクノロジーを想像する存在，革新者，所有者，起業家，デザイナーへと高め，人間的に扱ったとしたらどうなるだろうか？　コミュニティ自身が，携帯電話を生活に導入するための政策，経済，デザイン，文化的な選択において，「最初の1マイル」を代表していると考えたらどうだろうか？

TICに接続されたコミュニティの多くは，現在，自律的なネットワークを運営・維持している。それはどのように機能しているのだろうか？　各コミュニティはGSM（携帯電話ネットワークシステム）を所有しており，ISPとの提携によりインターネットに接続している。従来の電話サービスをインターネットにつなげることで，会員はIP音声通話(VoIP)技術を使って長距離電話をかけることができる。ユーザーはTIC接続の保守料を支払うことで，通常の商用料金の何分の一かの料金で地域の内外へ電話をかけられる。

TICは，ユーザーコミュニティのために直接テクノロジーを設計している。しかし，長距離通話はメキシコ国内にかけてもアメリカにあるデータサーバーを経由することが多い。それでも，TICのユーザーは，ロサンゼルスやアメリカの親戚に，メキシコの大都市に住んでいる人よりはるかに安い料金で電話をかけることができるのだ。

TICは，オアハカに6人，メキシコシティに二人の有給従業員がいるだけの小さな組織だが，大企業と肩を並べ，企業にはできない形で会員がアクセスできるようコミュニティをサポートしている。コミュニティのアサンブレア（集会）が所有・共同開発することで，経済的・文化的価値のある協同を支援するのだ。

従来の通信事業では，所有権を分散させずにユーザーがアクセス料金を支払うのに対し，TICはユーザーコミュニティにコントロールを委ねる。TICのサービスの利用者は月42ペソ（約2米ドル）を支払い，その料金はほとんどの場合，コミュニティ内で再循環してISPアクセス，電力料金，労働力の支払いに充てられる。

通信権は，普遍的，公共的，または国家的な文脈で語られることがほとんどだ。しかし，先住民族のコミュニティとその固有の言語，伝統，迫害を受けてきた歴史を考えると，TICは，最も迫害を受けてきたグループがデジタル時代の革新者となりうることを示している。

リゾームへようこそ

TICの設立を支援した非営利団体であるリソマティカの名は，哲学者のジル・ドゥルーズとフェリックス・ガタリに由来する。彼らは「リゾーム(根茎(こんけい))」という言葉を用いて，中央で生産された知識が周縁部に伝達されるという一般的な見方を否定しようとした。根茎は，知識を分権化したものとして，横向きに接続された複数の入り口と出口からなるネットワークとして提示する。この言葉がもともと使われる植物学では，地下にある植物の水平な茎で，そこから上向きに根や茎が生えるものを意味している。

木の基盤である幹とは異なり，根茎は集中的，離散的，固定的なパターンで組織されていない。根茎は固定されているというより動的であり，外の複数の方向に向かって一度に成長し，非線形で多元的な有機的思考のモデルを示す。

根茎の構造は，科学者たちがキノコの世界で発見したものに似ている。植物の根茎は孤立して存在するのではなく，菌糸のネットワークを介してほかの植物や菌類とつながっていることが研究で明らかになっているのだ。実際，一部の科学者は，地球最大のバイオマスは巨大なレッドウッドやセコイアの木ではなく，菌根・菌糸の複雑で大規模なネットワークであると主張している。植物の根茎とこれらの菌糸体は助け合っている。炭水化物や栄養素を交換し，共生関係を形成することで植物の健康を維持し，その生存を助ける複雑なコミュニケーションシステムを発達させているのだ。菌類学者のポール・スタメッツは，これらのネットワークを「地球の自然のインターネット」と呼んでいる。

このような自然界への洞察は，人間がコミュニティや社会のためにつくってきたデジタルネットワークについての考え方にどのような影響を与えるのだろうか？　根茎によって，力のバランスをとり，敵対的な脅威があれば隣人に警告し，多様なコミュニティの主権を尊重し，互いに学び合えるような，代替的テクノロジーについて考えられるようになるだろうか？これらはリソマティカの取り組みの動機となっている問いだ。

ハッカーと先住民の共同体

TICはコミュニティを支援するためのものだ。しかし，コミュニティとは何か，それをテクノロジーが支えるとはどういうことか。その答えは自明なものではなく，それぞれのコミュニティの自己定義，価値観，優先順位によって変わってくる。

メキシコ南部で「コミュニティ」という言葉（そして，それを「支える」こと）は，サンフランシスコや北京，ナイロビのそれとは異なる意味をもつ。もちろんフェイスブックのコミュニティも違う意味をもつ。ハイテク企業版のコミュニティは，人々の生きた経験からこの言葉の深い意味を完全にすくいとることはできないからだ。TICに接続しているオアハカの人々は，ほとんどが先住民族で，急峻な高地にある雲霧林の側の段々畑で農業を営んでいる。地域の人々が命と身体をかけて築いてきた貴重な土地だ。コミュニティ，先住民族の権利，自治についてのオアハカのビジョンからTICが生まれたが，そのビジョンは，有名なサパティスタ民族解放軍と結びつけることができる。

1994年，サパティスタの先住民族運動は，隣接するメキシコ・チアパス州で農地と森林をめぐる自治権を求めて蜂起し，勝利を収めた。これは，土地や天然資源を私有化しようとした政府に異議を唱える運動だった。彼らは「新しい夜明けへの抵抗」「夢の海のカタツムリの母」という名の地域センターを設立し，それらは「カラコレス」（スペイン語でカタツムリ・貝殻）と呼ばれるようになった。カタツムリの比喩は，サパティスタにかかわる図像や意識に浸透している。マヤの祖先から受け継いだこの文化的な象徴は，この地域の生活様式や歴史の中心にある，ゆっくりとした，循環する，内省的な，同心円状の，土着の生き方や知識を詩的に捉えたものといえる。カラコレスはメキシコ政府への抵抗（と避難）の場としての役割を果たしているが，世界への入り口としての役割も担い，内と外が交流するらせん状の道として機能している。このような生き方は，自由市場資本主義の刺激の強いグローバルなエンジンとは対照的な「別世界」として，サパティスタのメンバーによって語られることが多い。現在カラコレスのある，1000年以上前にマヤ人が定住した土地は，先住民のコミュニティにとって生に満ちた場所だ。財産や定量化された資源のような，客観的価値の不毛な言葉で定義することはできない。土地は活動的な力であり，そこに住む人々の生活の主役であり，彼らの経済的生活の中心となっている。

しかし，ラテンアメリカの通信企業はこれと異なり，歴史的にチアパスやオアハカの人々や土地を，離散的で定量化可能なものとして見てきた。搾取するための商品として見ることさえあった。「人が少なすぎるしお金も足りない」というのは，これらのコミュニティに資本やインフラ投資が不足していることを正当化するために使われる論理である。プロバイダー企業は，濃密な熱帯雨林を特徴とする辺境の高地を，インフラの建設にはあまりにも不向きで，住民の数が少なすぎる（そして十分に裕福ではない）ため，投資に見合わないと考えている。モビスターやテルセルのような大手キャリアが先住民のコミュニティに携帯電話を提供したとしても，都市部の何倍にもなるような途方もない料金を請求するだろう。

TICの携帯電話ネットワークを構築するために，活動家，ハッカー，コミュニティのメンバーからなるチームは，現在大企業のプロバイダーが独占している無線周波数帯（携帯電話ネットワークがその電波上を走る）へのアクセスを得るためだけに，国内および国際的なレベルで何度も法的な闘いを繰り広げなければならなかった。ネットワークの構築には分散型通信インフラの設計と開発も含まれており，これはコミュニティの関与とリーダーシップが必要なイノベーションである。TICのリーダーたちは，モバイルの周波数帯は水や空気と同じようにすべての人が平等にアクセスできる公共のものであるべきだと主張してきた。

アフリカのエムペサやブリックのような技術革新について紹介してきたが，そのなかで「壊れた世界の思考」と呼ばれる，あまり知られていないが強力なイノベーションの方法が，制約やアクセスのしにくさ，組織的な排除といった環境のなかで開花する例を見てきた。オアハカに拠点を置くコミュニティラジオ活動家のロレト・ブラボーは，TICの取り組みを「共同体の生態系に存在するテクノロジーの種であり，フリーソフトウェア運動のハッカーコミュニティとメキシコ南東部にあるオアハカの先住民のコミュニティとの間の倫理的・政治的な懸け橋」と表現している。ここで彼女は，このプロジェクトが，通信会社の権力や監視システムをチェックすることに関心のある活動家と，自分たちの生活に関してより大きな主権をもとうとする先住民族を結びつけるものであることを指摘している。

ハイメ・マルティネス・ルナやフロリベルト・ディアス・ゴメスをはじめとするオアハカの先住民の哲学者たちは，個人や自己意識，自由という幻想ではなく，共同体と相互依存が人生の中心にあるという感覚を表現するために，コムナリダドという言葉をつくった。グスタボ・エステバは著書『コモンズの富』で，この哲学は「経済を社会生活の中心から外し，共同体的なあり方を取り戻し，ラディカルな多元主義を奨励し，真の民主主義に向けて前進する」と説明している。

コムナリダドは抽象的な政治哲学ではなく，オアハカの農村部にあるほとんどの先住民コミュニティの言語と慣行に密接に結びついている。その一つの方法として，何百人ものコミュニティメンバーが集まり，共通の関心事について議論し，最終的には投票を行う「アサンブレア」がある。TICも同様に，パートナーであるコミュニティが参加する集会を通じて組織化されている。コムナリダドはすべての社会的・文化的なもののなかにある。個々のユーザーと一対一で契約を結ぶ通信会社のように，細分化するアプローチとは対照的だとエステバは説明する。

TICのコミュニティを訪問していたとき，私は，コミュニティのメンバー一人一人をより大きな集合体につなげる手段としてのコムナリダドの力を目の当たりにした。「一体性」というと圧迫感を感じる人もいるかもしれない。しかし，先住民のレンズは，絡み合うことに限界を見出すのではなく，恩恵を見出すのである。食卓に紛れもなく居場所があり，果たすべき価値のある役割をもつコミュニティの一員として，個人は共同生活の報酬を分かち合える存在になる。パイを一切れ与えてくれた恩人としてだけでなく，一緒に食べるデザートがより一層甘くなるような最愛の隣人として。

オアハカの多様性

メキシコ国内だけでなく，世界中でTICが持続的に成長していくためには，どのような課題と可能性があるのだろうか？　根茎のように，TIC型のネットワークはどこにでも芽を出す可能性がある。しかし，TICが現在どのように機能しているかを理解するには，TICが出現した文化的背景を考慮することが重要である。

メキシコには60以上の異なる先住民コミュニティが存在し，国民人口（約1億3100万人）の約15％を占めている。2013年に承認されたメキシコ憲法第2条は，「国家の統一」に合致する限り，先住民コミュニティの自決権を認めている。この第2条の第6項には，政府が先住民コミュニティによる通信権とチャンネル管理を支援しなければならないことを説明する文言が含まれている。つまり，国内のコミュニティの言語や文化を支援するために，メディアを合法的に創設できるということだ。このことは，メキシコも署名した「先住民族の権利に関する国連宣言」と整合している。1996年にメキシコ政府とサパティスタ民族解放軍（EZLN）との間で署名されたが実行されなかったサンアンドレス協定でも，国内の先住民コミュニティは少なくとも，通信チャンネルやネットワークの所有権など，何らかの象徴的な形で自治を享受することを認められてきた。

人口約400万人のオアハカ州では，住民の半数以上が2500人以下の村に住んでいる。オアハカ州には少なくとも16の先住民族が住んでおり，たとえばサポテク族を祖先にもつコミュニティ間にも文化・言語の小さい違いがあることまで考慮すると，その数はもっと多いとする説もある。オアハカは，メキシコ全土で最も言語的，文化的，生物学的多様性に富んでいる。TICが存在する州についてのこの理解は，（動植物の）生物多様性は常に人間の文化的多様性と結びつくという文化地理学者デビッド・ターンブルの意見と一致している。

サンタ・マリア・ヤビチェ

現地調査を手伝ってくれたメキシコ人の学生と一緒にオアハカの谷間から意気揚々と車を走らせているうちに，無事ゲラタオの街に着くことができた。メキシコの初代大統領であり，現在に至るまでただ一人の先住民族であったベニト・フアレスの生誕地であることに誇りを抱いている街だ。山のなかにある次の町イクストラン（テルセルのサービスが利用できる最後の場所）へと進むと，村人たちが，目的地であるサポテク族の集落サンタ・マリア・ヤビチェまでは，さらに3時間ほどの距離があり，雲霧林の奥深くまで続くヘアピンカーブだらけの未舗装の道しかないと警告してきた。

選択の余地はなく，私たちは先へと歩を進めた。オアハカのシエラフアレス山脈の生物多様性は，ポラロイド写真の画像がだんだん鮮明になるように,乾燥したジャングルから常緑樹の風景へと変化していった。しかし，その先のサンタ・マリア・ヤビチェに向かう途中の森の奥深くには，それ以上の絶景が待っていた。高度7000フィートを超えると，まるで魔法の扉をくぐったかのようだった。信じ難いほどの森の密度，青々とした滝や高山の巨木，枯れ果てた道などが私たちの周りに広がっていた。そして，でこぼこ道を走っていると，山腹に点在する小さな先住民族の集落が見えてきた。そこには次のような標識があった。

このコミュニティには私有財産は存在しません。
共用地の売買は禁止されています。
イクストラン・デ・フアレス共有資源委員会

ヤビチェを訪問したのは2回目だった。1回目の訪問は2016年で，約600人のコミュニティでTICシステムの管理とローカライズを担当していた現地のプロジェクト・コーディネーター，オズワルドにインタビューした。

再会したとき，オズワルドは「自律はコミュニティにとってすべてを意味する」と誇りをもって語った。自律の対象は土地だけではなく，文化や言語，伝統なども含まれていると彼は説明した。自律のための闘いは，先住民族サポテクの言語，価値観，政治，知識を得る方法を守る闘いでもある。村人たちは，TICシステムを「レッド・チザ」と名づけた。「レッド」はスペイン語で「ネットワーク」を意味し，「チザ」は彼のサポテク・コミュニティが自分たちのことを指すときに使う地元の名前で，TICがヤビチェのなかでの関係やつながりを育むことを願っていた。

初めての訪問前に見たTICのドキュメンタリーのなかで，ネットワークは領上を主張する手段であるとオズワルドは説明していた。土地と同じく空中の周波数も，携帯電話のネットワークをもつというコミュニティの主張を強化するために占有されうるものであった。TICシステムによって，携帯電話を介してサポテク語を話せるようになるので，同様にコミュニティに力を与えることになった。これらの言語はスペインによるメキシコの植民地化から何世紀もの間，文字によって保存されることがほとんどなかったため，それをサポートするのは特に価値のあることだ。オズワルドは次のように述べた。

> 私たちはここのサービスに興味があって，お金が少なくても，放っておいてくれることを望んでいる。彼らが私たちに迷惑をかけなければ，私たちは平和的に暮らすことができる。だから，私たちが知的な観点から行っていることはすべて，私たちに敵対するうえからのシステムに挑戦しているのだ。

ヤビチェを訪問するたびに，コミュニティの多くがネットワークをオズワルドの家族と結びつけていることに気づいた。そのため，TICがより広く使われるようになった一方で，プロジェクトのガバナンスや運営はごくわずかな人々の手に委ねられていることが明らかになったのである。私が話を聞いた人たちからはTICに対する不満は出なかった。しかし，コミュニティのテクノロジーはしばしば，少数の個人や家族によって開発，組織化，運営されていることを示している。それにもかかわらず，オズワルドの焦点は明らかに自分よりも，コミュニティの目標やニーズ，価値観をサポートすることにあった。

TICの前，ヤビチェではコミュニティラジオ局を運営し，維持していた。安価で，音声で聞くことができ，修理が容易なテクノロジーとして，ラジオはオアハカ全域でコミュニティの表現手段として大きな成功を収めてきた。オズワルドの構想は，TICがラジオの力を土台にして拡大していくことだった。それはまた，コミュニティの言語的，文化的，政治的，教育的自律を達成するためのより大きな闘争の一部でもあった。学校，文化機関，テクノロジー――オズワルドにとって，これらのすべては分権化と先住民族の自律への機会を表すものだった。

しかし2017年，2回目のヤビチェ訪問で何十人ものコミュニティメンバーにインタビューをしているうちに，別の話が明らかになった。TICシステムのユーザーが大幅に減少していたのだ。コミュニティのメンバーからは，長距離通話で技術的トラブルが多発しているという話を聞いた。ローカルネットワークからインターネットへとデイジーチェーン*で通話をつなげていく際に複数のISPに頼らざるを得ないTICには，起きがちな問題だった。また，モビスターへの乗り換えを希望するユーザーも多いと聞いた。同社はコミュニティから数km離れた裏山にあるアンテナを介して，間接的にだがサービスを提供し始めていた。ヤビチェの多くの人は，TICの運営コストや，それが一つの家族の仕事になってしまうのではないかという点に懸念を示していた。プロジェクトを実施するかどうかはコミュニティ全体で決めたが，システムをどのように利用するか，利用料を支払うかどうかは個人の選択にかかっていた。つまり，コミュニティネットワークという名が体を示していなかったということだ。

ヤビチェが初めてTICと契約したのは2013年9月。2017年に私が見た

*あるネットワークから次のネットワークへと数珠つなぎに接続していくこと。

のは，過渡期にあるシステムだった。モビスターのこの地域への参入などに脅かされていたTICが直面していたのは，テクノロジーの応用段階における成長・持続のための交渉・適応の集中的なプロセスだった。先住民コミュニティの目標をサポートする能力は，完全に確立されたというよりも，まだ疑問の残るものであった。

サンティアゴ・ヌヨオ

サポテク族が暮らしている北部シエラフアレス山脈の西には，オアハカ州と隣接するゲレロ州，プエブラ州の一部を覆うトラシアコ地区とミシュテカ地域の山がある。TICの担当者は，市から5～6時間ほど離れたところにある先住民族ミシュテカ族のコミュニティ，人口1500人のヌヨオを訪問するように勧めてくれた。ヌヨオは最近TICシステムを導入したばかりのコミュニティである（最初に参加したのは2013年2月のタレア）。

サポテクと同様に，ミシュテカのコミュニティも多様性に富んでいる。彼らはさまざまな言語や方言を話し，数千年前からこの地域に祖先が定住し，国内はもとより世界各地に（特にアメリカへと）移住してきた。

ヤビチェの鬱蒼（うっそう）とした森とは異なり，岩とサボテンに覆われたヌヨオに入ると，広場や教会に隣接する役所などの建物のうえに，過剰な数のアンテナが立っていることに気がついた。これはオアハカ州ではよく見られる光景であり，「テクノロジーによる開発」の試みと失敗を物語るインフラの名残だ（図22.1）。数年前に連邦政府によるテレコム・ヌヨオという失敗に終わったプロジェクトの話を聞いた。このトップダウンの「最後の1マイル」への取り組みは，大きなブレークスルーと称賛されたにもかかわらず，多くのプロジェクトと同じ理由で失敗に終わった。地元のユーザーの加入数が足りなかったのだ。

私たちが話を聞いたコミュニティのメンバーは，テレコム・ヌヨオは信頼性が低く，パターナリスティックだったと説明してくれた。起伏があり，曇りがちで湿気の多いこの地域では，ネットワークは効果的に機能しなかった。さらに悪いことに，プロジェクトを担当する政府官庁のコミュニケーション不足が，コミュニティからの第一印象を悪くしていた。さまざまなユーザーコミュニティと常にコンタクトをとっているTICとは異なり，テレコム・ヌヨオを実施している機関は，コミュニティの懸念を解決するための持続可能な解決策を一緒に考えることにまったく関心を示さなかっ

図22.1 ヌヨオの新しいアンテナと使えないアンテナ

たという。

対照的に，ヌヨオの中心部にあるTICの事務局を訪問した際には，ユーザーはこのシステムについて誇りをもって話し，自分たちの主権に基づく文化的な意見や価値観の延長線上にあると言う人もいた。実際，建物のあちこちには，ミシュテカの神話の登場人物を描いた壁画が飾られていた。

設立2年目にもかかわらず，ヌヨオはほかの二つのTICコミュニティ，ヤビチェとタレアとは一線を画していた。モビスターのような企業との競争がなく，技術的トラブルが少ないため多くの人々から支持されるシステムが存在していたのだ。

タレア・デ・カストロ

最初のTICシステムは，先住民族であるサポテクとミシュテカの集落が周辺に点在する，雲霧林に囲まれた町ビージャ・タレア・デ・カストロに建設された（図22.2）。約3000人の住民を抱えるタレアは，私が訪れたほかの二つの村とはサイズ以外でも一線を画している。この町は，移民を呼び寄せていることで知られているため，先住民族のというより「コスモポリタン」の街だと考えられている。

タレアの環境は，ヤビチェやヌヨオとは異なる課題を抱えていた。タレアのユーザー数はTICシステムがサポート可能な最大の数である800人に一時は近かった。しかし，私たちが到着してインタビューを始めた時点では，あちこちにモビスターの看板を見かけた。ユーザーの数は今では30人以下にまで減少しており，TICが最初に定着したとして国際的に知られた場所での存続が危うくなっていると聞かされたのである。TICユーザーの大半は，外部の，企業が管理するシステムに移行していた。コミュニティがモビスターのアンテナインフラのために30万ペソ，TICアンテナの

図22.2　TICが最初に提供されたタレアの屋上からの眺め

約3倍のコストを支払うことを決めたあとのことだった。なぜそのようなことが起きたのだろうか？　モビスターの営業担当者は，TICシステムが違法で，信頼性の低くはるかに貧弱なサービスだと嘘を伝えていたのだ。モビスターのブランドイメージが，タレアのコミュニティの多くのメンバーにとっては魅力だった。モビスターがオアハカやメキシコシティの都市住民に提供していると宣伝するのと同じ「高品質」サービスが受けられると思ったのだ。

タレアでTICが瀕死状態にあるのは，企業の影響力とブランディングのためだろうか？　それとも，タレアが「コスモポリタン」なコミュニティだという評判を信じるなら，TICが過去の技術と見られ，魅力が薄れているということを意味しているのだろうか？　アサンブレアの存在や活力は，TICがコミュニティの参加，自律性，コムナリダド，主権を支えるように発展していくために，どう役立てるのだろうか？

主権，自律，所有権

「私のコミュニティは私の根源であり，私自身の全体だ。自分がもっているものを大切にして後世に伝えていくことだ。それは感情だ。コミュニティと自律とは，自分が何者であるかを大切にすることだ」。

三つの先住民族の村を訪問した際，TICの提唱者たちは皆，共同体の意味と重要性を説明するにあたって，このような心情を口にしていた。一方，コミュニティはTICの意味をどのように表現しているのだろうか。ネットワークの重要性を表す言葉として最も多く使われたのは，「主権」「自律」「所有権」であった。

「自律」という言葉は，私が最もよく耳にした言葉で，ラテンアメリカ（およびオアハカ）の政治哲学において深い歴史をもっている。スペイン語で「自律」を意味する「アウトノミア」は，長い植民地化の歴史にもかかわらず，地域のコミュニティが文化的，政治的，経済的なビジョンを維持しようとする試みを表現している。ミシュテカ族のヌヨオ村やサポテク族のヤビチェ村といったさまざまなコミュニティのリーダーから学んだように，アウトノミアは，コミュニティが達成できる最終的な状態ではなく，コミュニティのメンバーの実践や選択，そして時には闘争の指針となるプロセスである。

「主権」という言葉はあまり耳にしなかったが，インタビューで中心となった政治的・文化的な洞察を最もよく捉えているように思われる。主権とは，主に政治学から出てきた用語であり，一般的には，国家の統治機関が外部からの影響を受けずに，自らに対して完全な権威をもつことを指す。TICは，ほかのシステムに包含されることに抵抗するコミュニティ主権のための闘争の象徴だ。伝統的に「最後の1マイル」のユーザーコミュニティが，地域や言語，コミュニティの審議プロセスを通じて，新しいテクノロジーの「最初の1マイル」の設計者，所有者，採用者となることができれば，彼らは主権をもつことになるだろう。アサンブレアを通じたネットワークの所有と意思決定は，重要な出発点である。

三つのコミュニティでは，システムに対するローカルな所有権の要求と，グローバルで近代的（コスモポリタン）な技術を利用したいという願望との間に，非常に現実的な緊張関係があった。最新のテクノロジーがコミュニティにとって自律の追求の手段であるならば，TICは最新のテクノロジーと矛盾はしない。しかし，コミュニティの多くの人々はそうは考えなかった。タレアでインタビューした15人のうち12人と，モビスターに乗り換えたヤビチェ村の数人は，TICが「反コスモポリタン」だと認識している（そして批判している）。

それでも，TICを利用している先住民コミュニティは，自律，主権，所有権には追求する価値があると捉えており，ネットワークそのものの構築だけでなく，どう利用・採用すべきかを模索している。たとえばヤビチェでは，オズワルドはチザという地元の大学を設立し，サポテクの人々の視点，価値観，文化に基づいたデジタルリテラシーとデザインを教えている。また，太陽光発電や風力発電などの再生可能エネルギーを利用して，技術インフラを役立てようとする試みも行われている。このように，ヤビチェで話を聞いた5人のTICユーザーにとっては，自律はTICにとどまるものではない。彼らの自律への願望は，生活のほかの部分にも及び，テクノロジーが改善の手助けになると信じている。

ネットワークが自律を支える一つの方法は，システムをユーザーコミュニティがアクセス可能なオープンなものにし，改善可能なものにすることであろう。ヤビチェのTICプロジェクト管理者が説明してくれた。「機器やインフラがどう機能するかを熟知した技術チームを編成する必要がある。そして，チームに参加する機会を若者やコミュニティのメンバーに提供することだ。もう一つは，さまざまな電話技術を一つにまとめることだ。イントラネットを構築し，デジタル図書館をつくり，すべてを一つのマシンに集約することで，コミュニティの関心に応じて，より整理された方法ですべてのものにアクセスできるようにすることだ」。

インターネットや携帯電話ネットワークへのアクセスは魔法の弾丸ではない。このような問題が常に残るからだ ── 何にアクセスするのか？TICを多くの価値ある取り組みに接続するのだ。コミュニティベースのイントラネット（デジタルコミュニケーション，テキスト通信，コミュニティとのデータ共有が可能となる），文化的・教育的資源を共有するためのデジタル図書館，コミュニティメンバーの教育などにTICをつなぐことで，コミュニティは最大の資源である人々，知識や伝統，そして彼らの夢を支える未来を追求する能力を活用できるようになる。

自律かコスモポリタニズムか？

ネットワークが直面する大きな課題である企業との競争について，もう少し詳しく見てみよう。モビスター，テルセル，その他の民間電話事業者の流入は，TICの持続可能性を脅かしている。彼らが異なる価格帯で異なるサービスを提供していることだけが理由ではない。グローバルテクノロジー企業が，先住民族のコミュニティのユーザーに，誘惑的な商品を提供しているからだ。つまり，地方のユーザーが世界のその他の場所に足並みをそろえることができたと「感じる」ことができるような，コスモポリタンな感覚である。TICがメキシコ全土，そして世界中のコミュニティでモビスターと競合するとともに，価値観の衝突が起こっている。自律とコスモポリタニズム，伝統と現代性，企業とアサンブレア。

価格，サービスの質，ブランドなど，これらすべての要素が，ヤビチェとタレアの村人がどのようなネットワークを選択するかに影響を与える。これを理解するために，各コミュニティでブランド広告がどれほど効果的であったかを見てみよう。タレアでは，先に述べたようにモビスターの存在がTICを圧倒し，かつて800人いたユーザーは30人程度になってしまった。あるコンビニエンスストアのオーナーは，「モビスターが来て，洗脳されてしまった。プロモーションやお得な情報を提供してくれたんだが，結局のところ払う金額は同じか，かえって多くなっている」と語った。

評判だけでモビスターに切り替えたTICユーザーは，侮辱されだまされたと感じていた。切り替えの主な要因は，モビスターの広告だったり，タレアの市場に参入する際に同社が提供した魅力的な新規入会キャンペーンだったりしたが，ユーザーはその代償を払うこととなった。モビスターは，TICよりはるかに高額なプランに加入させ，TICネットワークと互換性のない電話機を使用させ(「ネットワークロック」として知られる戦略)，同じ料金はより少ないサービスと通話時間しか提供しなかった。侵略の戦略は次のように機能したと思われる。TICと同じ価格帯でコミュニティにやってきて，さまざまな形態の「ゲリラ的な」街頭広告を開始し，その後，もはやTICが財政的に成り立たなくなるまで顧客を乗り換えさせる。しかし，それぞれのコミュニティで，我々がインタビューした人たちのうち2/3は，モビスターにあってTICになかったものが正確に何であったかを明確に言えなかった。では，そもそもTICから離れるという決断をした理由は何なのだろうか。企業ブランディングの力は，先住民が自ら所有するネットワークという理念よりも大きな魅力をもっているのだろうか。

私たちが話をしたタレアのコミュニティの半数と，ヤビチェで会ったモビスターのユーザーの全員は，メキシコ内外の多くの場所で機能している大企業に接続しているという理由で，モビスターのサービスのほうが信頼性が高いと考えたと説明した。もしそうであるなら，若者だけでなく，自らをコスモポリタンと考える移住者たちにもモビスターのブランドが魅力となっているのかもしれない。あるネットカフェ経営者は，移住先として知られるタレアでモビスターの人気が高まることは不思議ではないと語った。しかし，彼女は，タレアでもより伝統文化と結びついている人たちがTICのユーザーであり続けているという事実も指摘した。

草の根の創意工夫の一例として，ユーザーがTICとモビスターのサービスを，ユーザーの支払い能力やサービスの質などに応じて交渉して，使い分けていることがわかった。たとえば，ヤビチェの一部のユーザーは，安価なTICネットワークのダイヤルコードが複雑すぎるという理由で，通話を受けるのにはモビスターの電話機を使っている。人々はテクノロジーがアクセスしやすく，使いやすいものであることを求めている。TICに必要なのは，それがサービスを提供する先住民や農村部のコミュニティの自律という象徴的な価値を高めることと，企業所有のネットワークより技術的に劣り，現代的でないという評判を克服することだ。TICの指導陣は，ネットワークを所有することがどのような利益をもたらすのかを明確にしなければならないだろう。

ビジョンと声の力

TICの目標がコミュニティの自律と主権を支えることであるならば，地域コミュニティ内の文化や意思決定プロセスを尊重しながら，地域で管理・

運営されなければならない。オズワルドが言うように，「私たちがテクノロジーや知識の一部となっていない限り，私たちはテクノロジーに搾取され続ける」。

多様なコミュニティが，彼らの歴史，価値観，ニーズのなかでテクノロジーを適応させ，利用し，管理する方法に注目することで，グローバル・サウスへのテクノロジーの普及を単なる「包摂」を超えたものとして捉えることで何が可能になるかを垣間見ることができる。このようにして，テクノロジーは世界中に存在する言語，世界観，生活様式を反映できるのではないだろうか。ピーター・ブルームは次のように指摘する。

> 私は，テクノロジーが何らかの形で世界を均質化しようとしていると感じている。そうならないようにしなければならない。私たちはテクノロジーを我が物とし，それを私たちに適応させなければならない。

この多様性を最優先する倫理観は，TICとリソマティカが行っている実験がどのようなものであるかを示す。モバイルテクノロジーを設計し，所有し，管理し，ローカライズし，権力を握ることは複雑な作業だが，何十もの先住民のコミュニティが，ハッカーや活動家のパートナーと協力して，すでに一歩を踏み出している。その過程で，彼らは生産者・消費者という関係の外に向かう探求の旅に乗り出した。これらのメキシコ南部の物語は，営利企業ではなく，人々の願望や価値観に沿ったテクノロジーを革新し，創造するというコミュニティの組織の力を示している。

デジタルテクノロジーの未来について考え続けるには，目を閉じて耳を傾ける時間をとることが重要だ。マヤ人のように，カラコレスに我々の耳を向けよう。サパティスタの指導者マルコスが書いているように，マヤ人はらせん状の貝殻を「共同体を呼び起こす方法」として，また「最も遠い世界の声を聞くための道具」として用いていた。ほかの世界の教訓に目覚めてこそ，TICのような取り組みは障害を克服し，ユーザーコミュニティの欲望をかき立て続け，ユーザーとその価値観を支える新たな可能性を生み出せるのである。

メキシコ南部のTICモデルは，どこにいる誰であろうと，コミュニティやユーザーとして，自分たちのイメージ通りの技術システムをデザインできるのだと，私たち全員が言う機会を与えてくれている。第17章では，アメリカ（ブルックリンのレッドフック地区やデトロイト中心部），ヨーロッパのカタルーニャ，その他さまざまな地域で，コミュニティが共同所有のインターネットやイントラネットのネットワークを構築し，管理している例を紹介した。また，オープンソースのソフトウェアプロジェクトであるマストドンにも大きな関心が集まっている。マストドンはあらゆるコミュニティが独自のサーバーを介してフェデレーション型*の通信を維持することを可能にする。このような革命的テクノロジーの精神に基づき，次の部ではブロックチェーン技術と暗号通貨について見ていくことで，誇大広告とポテンシャルのどちらが正しいのかを解明したい。

---

*ツイッターのような中央集権型ではなく，複数のサーバーの下にユーザーがぶら下がる方式。

第 5 部

明日に向けて

道は選べる

第23章　ブロックチェーン
クレージーな飛び入り歓迎，もしかしたら
それ以上？

共同執筆：アダム・リース

私たちは新しい仮想国家の誕生
私たちは世界と人間の未来
私たちは普遍的かつ不可侵な見張り
私たちは創造性とビジョン
私たちは権利と自由
私たちは寛容，開かれた心
私たちは政治的実体，独立した存在
私たちはプライバシーとセキュリティ
私たちは開かれた透明性
私たちは夢と現実
私たちはビットネーション

ブロックチェーンのスタートアップ企業，ビットネーションのアプリ「パンゲア」の説明文書は，このように終わる。この11の宣言は，ビットネーションが抱く明るい未来のビジョンの基本的理念だ。この文書で表現されているコンセプトのなかには，普通の人にとって珍しいものもあるかもしれない。ただ，多くは「ブロックチェーン空間」(本章では，ブロックチェーンと暗号通貨の世界に関連した環境全体とさまざまなコミュニティをこう呼ぶ)では一般的なものだ。

今日の多くのデジタルシステムにおいては，一部の主体がシステム全体をドラスティックに変える力をもつ構造となっている。一方，ブロックチェーンテクノロジーが推進するのは，単一の主体の支配によって左右されない一種のネットワークだ。この章では，ロサンゼルスを拠点にブロックチェーン空間を取材しているライターのアダム・リースとの共同執筆で，この新しいツールの基本的な概念を説明し，それが本書の中心テーマである「デジタルテクノロジーをユーザーの価値観に基づいたものにする」こととどう関係するかを議論する。

それではまずテクノロジーそのものやそれが支えるデジタル通貨について掘り下げていく前に，ビットネーションが「世界と人間」に何を提案しているのかを検証してみよう。

仮想国家

ビットネーションの説明文書の筆者らは，同社が構築したブロックチェーンプラットフォーム上に人々が仮想の「国家」を設立するという未来について語っている。国ごとに異なるサービスが提供され，ある国が提供しているものを望むユーザーは，その国の「市民」になることを選択できる。文書の筆者らは，「よりよい，より安全な，より速い，より安価なピアツーピアのサービスを(国家の)代わりに提供する」ことで，市民を国民国家への依存から引き離すことができれば，このようなデジタルコミュニティが最終的には国民国家に取って代わる可能性があると示唆している。ビットネーションの競争的な自由市場環境のなかで仮想国家が出現すれば，国民国家は私たちの日常生活とますます「無関係」になると著者たちは主張している。また，国民国家の影響力が衰えていけば，人類は国家が助長してきた「外国人嫌悪や暴力」から解放されるであろうという。なぜなら私たち一人一人が潜在的な顧客であるなら，暴力はほとんど必要とされなくなるからだ。

ビットネーションの文書には,「仮想国家が実際に何をするか」についての例はそれほど含まれていない。ただ，友人がトラブルに巻き込まれたときに警告を発し，彼の居場所へと人々を誘導するような追加アプリによって物理的なセキュリティを人々に提供できるようになる可能性については言及されている。このようなアプリは，平和的な自警団の運営に役立つかもしれない。逆に，自警団を名乗る暴徒や金で雇われる警察力を管理するために効果的なツールとなる可能性もある。この説明文書によれば，仮想国家ではユーザーが土地の権利証を管理でき，土地の所有記録を結婚証明書などの重要な文書とひもづけすることもできるという。そうすれば，亡くなった人の配偶者がブロックチェーン上で土地の所有権を自動的に受け取れる。この機能は，ウガンダ，イラン，チェチェンのような，「同性愛者であるという理由で政府から訴追される国」で，ゲイやレズビアンのカップルが財産相続などの権利を主張するのに役立つだろうという。しかし，これらのブロックチェーン記録が，独自の土地登記簿をもつ国や，遺族となった同性パートナーの主張を認めない国でどのように通用するのかはよくわからない。

これらの点に限らず，ビットネーションが考慮できていない重要な現実がある。国民国家は，妄信だけを根拠に存在しているわけではないし，我々がほかの機関に信頼の対象を移せば消滅するわけでもない。世界の人々が統治されているシステムを解体するには,「キラーアプリ」だけでは不十分だ。またビットネーションの提案には，もう一つ大きな欠陥があるようだ。国民国家が廃止されたとして，たとえば水道のように必要不可欠だが利益の出にくいサービスを，誰が貧しい人々や僻地に住む人々に提供してくれるのだろうか。そのようなコミュニティは，サービス提供者をどうやって呼び寄せるのだろうか？　誰かがサービスの対価を支払ってくれるのだろうか？　人々はサービスがある場所に移動しなければならないのだろうか？

私たちがビットネーションを批判するのは，おとしめるためではなく，ブロックチェーン分野でよくある落とし穴にはまっていると考えるからだ。まず，彼らのブロックチェーンテクノロジーへの関心は，既存のイデオロギー的な信念と密接に結びついている。それは，「政府は与えるより多く奪う」というリバタリアン的信念だ。イデオロギー自体が本質的に悪であるわけではないが，テクノロジー開発の原動力になっている場合，よい結果が出るように見えても，別の観点から見れば中途半端なものとなることがある。この点でのビットネーションの欠点は，人々が自分の妄想をブロックチェーンテクノロジーに投影するという，広い傾向の一部だ。また，どんなテクノロジーもそれ自体として望ましい社会的，経済的，政治的成果への道筋になるという考えにも異議を唱えたい。テクノロジーは重要だが，どのような結果がもたらされるかは人々の判断にかかっているのだ。

ブロックチェーンが約束すること

なぜ人々がこのテクノロジーに熱狂するのか考えてみよう。ブロックチェーンは単純化していえば，単一の中心をもたないデジタルネットワークの基盤として機能する。つまり，各ブロックチェーンネットワークは多くのノード（ブロックチェーン空間では個々のコンピュータ上のクライアント＝プログラムを指す）で構成されるが，ネットワークが機能するために不可欠なノードは一つもない。ノードのどれかがオフラインになっても，ネットワークに問題は起きないのだ。特定のサーバーに依存しないネットワークは，特定のサーバーに依存するネットワークに比して，単独の存在がコントロールすることが理論上著しく困難だ。したがって，セキュリティは，分散化（おおざっぱにいえば，中心をもつ階層構造がない状態でも機能する能力）と同様に，このテクノロジーが約束してくれる重要なことの一つとされることが多い。

これらのネットワークの中心にあるのは，一般的に暗号通貨と呼ばれる一種のデジタルマネーだ（ビットコインネットワークの暗号通貨はビットコイン，イーサリアムの暗号通貨はエーテルという名だ）。ブロックチェーンネットワークを操ることはできないとされているため，自分のお金が保護されるという完全な自信をもって，信頼できない相手とも取引できる。言い換えれば，怪しげな人との取引であっても，人々はネットワークがお金を安全に守ると信頼しているのだ。何かあったときに訴えるべき中央機関は存在せず，そのような訴えをする必要性が生じることも想定されていない。

ブロックチェーンに熱狂している人には，このテクノロジーが成熟すると爆発的なイノベーションが起こるという人もいる。また，完全に分散化されたデジタルネットワークをつくることができれば，分散化の概念が必然的に私たちの政治システムや金融システムなどの重要な制度に浸透し，根本的な改善がなされるだろうと考える人もいる。さらにこの変化によって，自らは何の価値も生み出さないのに利益を得るような媒介者が排除されるだろうといわれる。

政治も排除されません

ブロックチェーン空間にはさまざまな政治的視点が反映されている。左寄りには，このテクノロジーによってより平等な経済的成果を実現できるという理論がある。中道には，社会的自由主義と経済的保守主義を混合したプラスチックバンクのようなプロジェクトがある。プラスチックバンクとは，低所得地域にリサイクルセンターを開設し，ゴミ回収者がプラスチックと引き換えに暗号通貨を受け取るというものである。

リバタリアニズムは，初期からブロックチェーン空間の政治哲学を席巻し，現在でも存在感は大きい。政府，特にその通貨に関する仕組みに不信感を抱くような人々が，政府に管理されないお金に興味をもつのは当然だろう。実際，多くのブロックチェーン熱狂者は，政府が規制も破壊もできないものをつくるというアイデアに歓喜している。

『ビットコインの政治』でデビッド・ゴランビアは，自由市場を愛するブロックチェーン空間のリバタリアンと，1997年に社会学者ラングドン・ウィナーが記述した学派「サイバーリバタリアニズム」との間のイデオロギー的なつながりを指摘している。サイバーリバタリアニズムは，「急進的な個人主義，自由市場経済への熱意，政府の役割への軽蔑，企業の力への熱意」(リバタリアンの基本的信条のすべてだ)を重視し，それらを「デジタルテクノロジーのダイナミズムこそが私たちの宿命である」という信念と結びつけている。当時，ウィナーは述べている。「(デジタル時代の)挑戦に立ち向かうことができる者こそが,来るべき千年紀の覇者となる」。今日のブロックチェーン空間では，人々は，新しく輝かしい未来を生み出すテクノロジーをつくり出したことに(自己満足的に)称賛の声を上げているが，その未来を見通す力のある者も，追いかける度胸のある者もほとんどいない。このような個人の可能性への信頼の背景には，社会のセーフティネットプログラム，特に福祉の取り組みに対する警戒心があると考えている思想家もいる。

暗号通貨の信者のなかには，自分が「極端な」理論を支持していないと思っているのだが，実は極右に由来する前提や概念に頼っている人もしばしばいる，というゴランビアの分析にも同意できる。右翼思想の熱烈な支持者も，この空間には多数存在する。「クリプト（暗号）ツイッター」と呼ばれる場所，ブロックチェーンに焦点を当てたツイッターの一画では，左翼，共産主義者，社会主義者，または「ソーシャル・ジャスティス・ウォリアー*」とされる人を軽蔑するインターネット特有の表現や発言に出合う。過激派を告発するために，リバタリアンという理念の思想史に焦点を当てたゴランビアよりも一歩進もう。白人至上主義者のコンテンツがクリプトツイッターの周りでうごめいているのは珍しいことではない。「白人大量虐殺計画」「人口構成の変更」などの存在を主張しようと，過激な右派が暗号通貨の世界以外でも使う論理が日常的に，多くはリツイートの形で投稿されている。しかし，このメッセージは，ブロックチェーン空間の一部の参加者にしか響かない。全体的な印象としては，多くの人が自分たちをテクノロジーの最先端にいると考えている一方で，イデオロギー的な過激派であると自己認識している人はほとんどいない。

これまでの指摘が抽象的であるなら，ポップカルチャーに言及することで，ブロックチェーン空間内に右翼思想の流れが存在することを理解してもらえるかもしれない。たとえば，3Dプリント銃を発明したコーディ・ウィルソンは，匿名性に焦点を当てたプロジェクトを共同設立したり，ビットコイン財団を解体しようとしたりと，暗号通貨に関連する活動に関わっ

* 特定の社会正義の実現を自己中心的に主張する人を揶揄する表現。フェミニズム，環境保護など進歩的な理念が対象であることが多い。

ていた。ウィルソンが未成年者への性的暴行容疑で逮捕される以前，ブロックチェーンの熱狂者たちは，自分の信念に通ずるとして彼を称賛していた。権威を無視する彼の反抗的な態度や，オンラインで銃の設計図を配布する権利を求めた訴訟でアメリカ司法省と和解することによって彼は，真のリバタリアンとして認められた。それにより，ウィルソンは初期のブロックチェーン空間のアイコンとして選ばれたのだ。

ハイテクへの愛のために

ブロックチェーンテクノロジーの採用競争が世界中で起きている。中国のあるハイテク企業の幹部は，政府は国内企業がこの分野のリーダーになることを期待しているとラメシュにオフレコで語った。実際にアリババ，バイドゥ，テンセント，ファーウェイなど中国国内最大手のハイテク企業がブロックチェーンプロジェクトを立ち上げている。

欧米では，ブロックチェーンではデータベースの管理が煩雑になるため，信頼性を高める機能が必要な場合にのみ使用すべきだと専門家は助言している。それにもかかわらず，多くの大手企業が熱心にこの分野に飛び込んでプロジェクトを立ち上げている。テクノロジーの本質を見失っているようにすら見える。ウォルマートは，健康被害が発生した際に即時に発生源を特定できるよう，農場から店舗までホウレンソウを追跡するブロックチェーンベースのシステムをテストしている。健康被害が発生すると現在では，病気のない農場からの清潔なホウレンソウも念のため捨てられてしまうのだが，それらを売り続けることができるだろうというわけだ。ただ，このようなプロジェクトは，ソリューションであるはずのブロックチェーンが自ら問題を探し出しているという非難につながっている。トレーサビリティを改善するというアイデアはよいが，ブロックチェーンはすべてのデータを記録して保存するのに最適なツールではない。さらに，ウォルマートはこのシステムを非公開で運用することで，ブロックチェーンが可能にする信頼性という最も革新的な機能を失うことになる。批評家は，このような企業の実験を，流行のテクノロジーの利用が目的となった広報活動だとしている。

世界中のウォルマートが現在のブロックチェーンをどのように使うかを考えようと必死になっている一方で，何十カ国もの開発者がスタートアップ企業に協力し，あるいはフリーエージェントとして，最終的に大化けするかもしれないという希望とともにテクノロジーを推進している。開発者の多くは，たとえばブロックチェーンを使って社会によい影響を与えたいと考えており，努力によって人類に価値あるものをもたらせると切実に感じている。たとえば，イーサリアムのオリジナルコアチームのメンバーであるテイラー・ゲリングは，このテクノロジーは今日横行しているオンライン監視の問題を克服できると信じており，「社会革命」を象徴していると私に話してくれた。

ブロックチェーン空間の多くの開発者は，自分たちのプロジェクトを「オープンソース」とする，つまりすべてのコードが公開されるべきだと強く信じている。オープンソース標準に従うことで，ほかの開発者はそれまでの成果のうえにプログラムを構築できるようになるのだ。

金への愛のために

しかし，「ソリューションとしてのブロックチェーン」という物語は，誰にとっても等しく刺激的なものであるわけではない。多くの人が，暗号通貨が魔法の金儲けマシンであるという幻想に魅了されている。そのファンタジーを追いかけている人々から利益を得ようとする人もいるし（ブロックチェーン空間では詐欺が蔓延している），古きよき時代のギャンブルをただ楽しむ人もいる。

「ギャンブラー」には，ウォール街やヨーロッパやアジアの金融業界から，暗号通貨に連動したデリバティブを提供・取引するためにやってきた人たちが含まれている。これらの金融商品には，賭け金の20倍まで売買できるレバレッジCFD（差金決済取引）も含まれている。株価が1日に数％上下するだけで一喜一憂させられる，通常の金融市場ではリスクが高いと考えられている商品だ。1日10％以上の価格変動が日常茶飯事である暗号通貨の世界では，これらのデリバティブは投資家を驚くほどのリスクにさらす可能性がある。

2017年後半，暗号通貨の価値が急上昇したことで，ブロックチェーンテクノロジーが主流メディアの注目を浴び，投資家が殺到した。当初これらの新規参入者は，サイバーリバタリアンのような，この空間に長年居続けてきたグループの存在感を薄めてしまうのではないかと思われていた。しかし，2017年冬の高騰後には長い低迷が続いている。価格の下落やオンライン上での投資の熱気がやや薄れていることから，新規参入者の多くが保有通貨を売却し，テクノロジーへの関心を失ったことがうかがえる。

現金の流入は，ブロックチェーン企業が投資家に暗号通貨を販売して資金調達するイニシャルコインオファリング（ICO）の数が爆発的に増加した時期と重なった。1000社以上の企業が総額数十億ドルを調達した。数分で数百万ドルを手に入れた企業もある。ICOは，企業の株式売却に例えて説明されてきた。ここで詳述はしないが，この例えは多くのICOについて的確ではあるがすべての例に当てはまるわけではない。

この資金調達のメカニズムは正しく使用されれば，投資家にプロジェクトのコントロール権を譲り渡すことなく重要な仕事のための予算を確保できる。しかし，最悪の場合，ICOは恥知らずな現金のつかみ取り競争に過ぎない。何もつくり始めていないのに，漠然とした宣伝資料だけで投資を募るケースもある。「有名人のICO」も批判を浴びてきた。ボクサーのフロイド・メイウェザーと音楽プロデューサーのDJキャレドは，ICOを宣伝する役割と引き換えに「受け取った金額を開示しなかった」ことをめぐり，証券取引委員会（SEC）と和解した。メイウェザーのライバルであるマニー・パッキャオも同様にICOを計画しているようだ。イエス様ご自身が開催し，投資家に「暗号通貨・癒やし・赦(ゆる)し」を提供すると称するジーザスコインのように意味不明なコインのICOもあった。

ほかの暗号通貨のスキームも同様に，非常に皮肉なものに見える。たとえば，一部のオピニオンリーダーは自分の保有する暗号通貨を高騰させるために，そのコインに関する話題をコントロールしようとした。この分野とは無関係の企業が，ブロックチェーン企業としてリブランディングを行っている。最悪のケースはロングアイランドアイスティー社で，飲料製造から撤退する計画を発表して2017年12月に社名をロングブロックチェーン社に変更したあと，株価が500％も上昇した。同社はSECの調査を受けることになった。

また，ブロックチェーン空間に浸透してきた主流のハイテク文化に迎合しようと，いくつかのスタートアップ企業は，マーケティング資料や公式発表にアフリカの子供たちの画像を使用して人道的なベンチャー企業としてのブランドを確立している。ほかのブロックチェーンのプレーヤーは，テクノロジーによって貧しい人々の問題を解決するという幻想と金儲けとを，さまざまな方法で組み合わせようとしてきた。

たとえば，ハリケーン「マリア」がプエルトリコで3000人以上の死者を出し，島が壊滅的な被害を受けたあと，大勢のブロックチェーン起業家や投資家が現地に向かった。彼らは暗号ビジネスのハブを設立し，再建の努力を助けたいと語っていた。ジャーナリストのナオミ・クラインは，これらの人々が島を選んだのは，人々を助けるのではなく，税金逃れのためだと非難した（2018年3月にプエルトリコを訪問したあるチームのブログの投稿によると，第20号と第22号の二つの法律が「プエルトリコでは連邦税が課されない」「プエルトリコで暗号通貨によって得られた利益には税金が課されない」とそれぞれ定めている。投稿には，ブロックチェーン投資家を招くことに躍起になっている政府が，「地元のブロックチェーン受け入れ態勢整備のため諮問委員会を組織した」とも書かれている）。

クラインは，2013年からプエルトリコを訪れている元子役俳優の暗号通貨起業家，ブロック・ピアースを批判している。大量移住の首謀者として活動しているというのだが，ピアースは技術面の理由があると反論している。たとえば，ピアースはあるプエルトリコ人のYouTuberに次のように語っている：「最大の損失を味わったこの瞬間こそが，改良の最大のチャンスなのだ。今ならプエルトリコは何でも望むものになれる。私たちがここにいるのは，プエルトリコの人々，そしてこの場所が再出発できるように支援するためだ」。この陳腐な決まり文句の羅列は，『ガーディアン（*The Guardian*）』紙が2018年8月に公開した別の動画とは対照的だ。ガーディアンの動画は何カ所も編集され，その後削除されている。その動画ではピアースと，ほとんどが非ヒスパニックで白人男性の暗号通貨関係者がプエルトリコのホールでイベントをしている様子が描かれる。イベントで，ピアースはプエルトリコ人の女性と怒鳴り合いの喧嘩（けんか）になり，別の地元の出席者に説教をする。

ピアースの異様な性格と彼の独裁的なポジションにより，このエピソードはメディアの注目を引くところとなった。ブロックチェーン空間には，このほかにも新植民地主義のにおいがする話がある。クラインが批判の声を上げたのとほぼ同時期に，「ブロックチェーンテクノロジーは本質的に自由のための力である」というサイバーリバタリアンの主張と矛盾するような出来事が地球の反対側で起きていた。

中国系カナダ人の億万長者・趙長鵬（ジャオ・チャンポン）は，開業半年で世界最大規模となったオンライン暗号通貨取引所バイナンスの創業者として財を築いた。2018年4月に彼は二人の独裁者と会談した。その一人，トーゴのフォール・ニャシンベは2005年以来（彼の父親が大統領になった時期から考えれば1967年以来）権力を握っている。もう一人，ウガンダのヨウェリ・ムセベニは1986年から大統領の地位にある。トーゴでは，ニャシンベ一族の支配を終わらせようとする動きが本格化している。2018年にアダムと私はウガンダを訪れたが，政権を去るのを拒否したムセベニを公然と非難したり不満を示したりする人々に出会った。

趙はムセベニに，アフリカ最大の暗号通貨取引所をウガンダに設立したいと伝えた。趙はソーシャルメディア上で，バイナンスとトーゴ政府が提携すれば，トーゴに数十億ドルの投資をもたらす可能性があると示唆した。権威主義体制はこのような取引でもち込まれた資金の大部分を受け取ることになり，独裁者の権力維持は容易になるだろう。言い換えれば，自由で公正な選挙を勝ち取ろうとするトーゴとウガンダの国民の努力をくじくことになる。これらの計画について趙がオープンに語ることがはっきり示しているのは，ブロックチェーンテクノロジーや暗号通貨がそれ自体としては自由のための特効薬にはならないということだ。

最後に，政府の関心について，アダムはガーナのある政府関係者に話を聞いた。彼は国が暗号通貨を発行するというアイデアにとりつかれていた。彼の構想は，暗号通貨を使ってガーナの最貧困層を含む非公式経済（監視が行き届いていない経済のグレーゾーン）から税を徴収するというものだった。

これまで述べてきた例をまとめると，ブロックチェーンはある種のフェティッシュな偶像として人々の夢が投影されたものであることがわかる。

その夢は難民を助けることかもしれないし，自己利益の追求が真の美徳となるアイン・ランド*的なユートピアの構築かもしれないし，単に金持ちになることかもしれない。次に，ほかの人々にとっての目標は脇に置いて，テクノロジーについての私たちの考えを議論したい。

これは重要な問題なのか？

私たちに言わせれば重要なことだ。これまでのところ，構築された何かが重要なのではなく，今日のブロックチェーンネットワークには，いずれ私たちに恩恵をもたらすような種が含まれているかもしれないからだ。ブロックチェーンシステムが，信頼性が高く何十億人ものユーザーをサポートできる堅牢なものになれば，より「信頼に値する」オンライン経験の基礎となりうる。今日のオンラインの世界は収奪しようとする力に満ちている。そのため，ブロックチェーンによって何が変化するかを想像するのは難しいかもしれない。インターネットのシステムが本当に信頼でき，ほかのユーザーに対してもある程度の信頼をおけるようになればどうなるだろうか？　そうなればグーグル，フェイスブック，アマゾンが提供するお気に入りの機能を気兼ねなく楽しめるようになるだろう。自分のデータが捕捉・集積されたり，他者との間の取引で仲介業者に利益をかすめ取られたりすることもなくなるのだ。

さらに，デジタル経験を仲介する中央権力がなくなり，私たちユーザーがプラットフォームの運営について，より大きな発言権をもてる点も重要だ。理論的には，十分な人数が集まって構築しさえすれば，望む形態のプラットフォームを手に入れられる。しかしこれまでのところ，これは理論以上のものではない。分散型ネットワークはいくつも構築されてきたが，分散型組織の現実的なモデルが出てきたとは言い難い。同様に，価値を生み出さずに儲ける者が分散化によって追放されるというよくある主張は，興味をそそられるものだが実証されていない。どんなツールにもいえることだが，ブロックチェーンも複雑な問題を解決する具体的な戦略と結びつかなければならない。そうでなければ，社会的，政治的，経済的な変化をもたらす効果的な手段にはなり得ないのだ。

さらに，私たちはブロックチェーンの物語に懐疑的だ。それは，この本を通して出てきた例と似通っているように思えるからだ。かつて，インターネットが平等主義的で分散型の自由な未来をもたらすといわれていた。ところが，今日のオンライン上の世界はインターネットサービスプロバイダー（ISP）や大手ハイテク企業などの権力をもった存在にあふれ，デジタル経験に関する重要な決定を私たちの意見を無視して行っている。同時にかつては想像力と自由の空間であったインターネットは，監視とデータ収集の空間になっている。また，社会的世界を広げると期待されていたソーシャルメディアは，私たちを文化的エコーチェンバーに押し込み，異なる意見から引き離そうとする。

いずれにしても，デジタルの新しい時代が到来しようとしているのかもしれない。現在のインターネットはデータの転送によって定義されているが，新しい時代では価値の転送が基礎となるのかもしれない。アダムと私は，ブロックチェーンの未来が，現在と同じく利用者にとっていらだたしく危険なものになりうると考えているが，必ずそうなると考えているわけでもない。うまく道を選べば，これらのテクノロジーはよい結果をもたらす可能性がある。そのために，私たちはブロックチェーンが現代の問題とどのように関係しているかを理解し，提示されたソリューションを批判的に見なければならない。

---

*リバタリアニズムに影響を与えた思想家。

ブロックチェーンとは

ブロックチェーンを使って何をするのかを具体的に説明する前に，いくつかの基本的な用語と概念を紹介したい。ブロックチェーンテクノロジーは，分散型台帳技術（DLT）と呼ばれるものの一種だ。ブロックチェーン自体は文字通り台帳であり，暗号通貨の取引（そして多くの場合はほかのデータも）を記録したもので，先に述べたノードを介して世界中の多くのコンピュータに配布される。このリストは，ネットワークの始まりにまでさかのぼる。

新しい取引が台帳に記録されると，ノードはその情報を受け取り，それに応じて自分のもつ台帳のコピーを更新する。銀行のような中央機関が全員の残高を公式に記録しておくのではなく，何千ものノードがその情報をもっているのだ。この情報を改ざんするには，膨大な数のノードを一度に攻撃しなければならない（またはすべてのノード運営者に賄賂を贈る必要がある）。このため，どんなに資金力のある者であっても，ネットワークに干渉することは非常に困難なのだ。

ビットコイン，マイナー，アドレス，プライバシー

ビットコインは2009年初頭に最初のブロックチェーンネットワークとして登場した。数カ月前には，いまだ身元不明の創設者が，サトシ・ナカモトという名前で論文を発表している。

論文には，コイン中心のネットワークが永続的に存在することを可能にする相互接続メカニズムが記述されている。特徴の一つは，ブロックチェーンの定期的な更新を行う特権を競い合うマイナー（採掘者）が多数必要なことである。更新とは，取引をブロックと呼ばれる束にしたもののことだ（だからブロックチェーンと呼ぶ）。ブロックの作成に成功したマイナー

は，新たにマイニングされたビットコインと各取引に付随する手数料によって報酬を得るという特権を手にできる。送信者は取引手数料を支払うことでマイナーに競争させる。より多くのマイナーが独立して競争することで，さまざまな種類の攻撃はより難しくなる。

暗号通貨を「所有する」といっても，文字通りコンピュータ上に資産をもつことではない。むしろ，資産を一定数保有しているという台帳の記録のアドレスを管理することなのだ。取引を送受信するビットコインのアドレスは，ブロックチェーン上では公開鍵と呼ばれる数字とアルファベットの長い文字列で表される。この公開鍵は，10種類の数字とAからFまでのアルファベットで構成された64字の文字列である秘密鍵から生成される。暗号技術によって，公開鍵を秘密鍵から算出されるが，その逆は決してできないようになっている。秘密鍵をもっている人は，対応するアドレスに関連するすべての資金をコントロールできるので，ブロックチェーンのユーザーにとって秘密鍵を保護することは非常に重要だ。対照的に，お金を受け取るためには公開鍵を共有しなければならない。

ブロックチェーン空間の外にいる批評家は，ビットコインは資金洗浄や違法な買い物のツールとなると主張することが多い。しかし，この分析には欠陥がある。ビットコインの取引はすべてブロックチェーンの一部になる。ある人の身元が使用したアドレスと結びつけられれば，そのアドレスはこれまでに関与したすべての取引や，取引の相手と結びついている。取引相手の一人でも口を滑らせれば，身元が暴露されてしまうのだ。

このようにビットコインが匿名性に結びついているという誤解が生じた背景には，その初期の有名な使用例があると思われる。2011年から2013年の間に，人々はシルクロードという名のダークウェブ*で，暗号通貨に

*通常の方法ではアクセスできないインターネットに存在し，薬物やクレジットカード番号などを取引している。

よる取引が匿名となると誤解して麻薬を購入した。結局，FBIはシルクロードの所有者と疑われるロス・ウルブリヒトから数百万ドル分のビットコインを没収しただけでなく，事件を担当していた二人の連邦捜査官も，捜査の過程でビットコインを不正入手したことで有罪判決を受けた。

ほかのネットワーク，特にモネロやZキャッシュは，取引のプライバシーをより強固に守っている。Zキャッシュの生みの親であるズーコ・ウィルコックスは，犯罪者がプライバシー強化ソフトウェアの恩恵を受けるという懸念は近視眼的であり，プライバシーコインはすべてのユーザーを「犯罪と詐欺」から守れると主張している。

イーサリアムとスマートコントラクト

ブロック，マイナー，暗号鍵の一対のアドレスというビットコインの特徴は，イーサリアムネットワークにも共通する。似ているのには理由がある。イーサリアムは，ビットコインのユーザーたちによるプロジェクトとして始まった。彼らはブロックチェーン上に幅広いアプリケーションを構築することに興味をもっていたが，ビットコインが協力しなかったのだ。

イーサリアムがビットコインと大きく違ったのは，コードを追加してアドレスを拡張できるようにし，アドレスをスマートコントラクトに変えたことだった。スマートコントラクトは，経験から学習できるAIシステムのように「スマートな（賢い）」わけではない。それはブロックチェーンネットワーク上に存在する単なるコンピュータプログラムであり，ほかのアルゴリズムと同じように入力された情報に対して事前に定義された通りに反応して機能する。

簡単な例として，ロサンゼルス・ドジャースとオークランド・アスレチックスの野球の試合に賭ける友人同士を想像してほしい。二人ともESPN

のような信頼できる情報源からスコアデータを受信するスマートコントラクトに賭け金を送る。試合が終わると，スマートコントラクトは勝者のアドレスにすべてのお金を送る。

うまく設計されていれば，これらの分散型コンピュータプログラムは不正行為を防げるはずだ。上記の例では，スマートコントラクトは敗者に契約放棄の機会を与えずに勝者に金を支払う点が特徴的である。これとは対照的に通常の契約では，取引条件に違反した場合には悪い結果を与えると警告することで，それを予防しようとしている。

将来的には，スマートコントラクトは，無能な政府の下で停滞しているコミュニティが自分たちの道路修理計画をコントロールできるように支援するなど，より高度なタスクを処理できるようになるかもしれない。スマートコントラクトは，各ドライバーからごくわずかな金額を自動的に集めて蓄えておくことで，これを実現できる。修理が必要になれば，作業員が工事の各段階が適切に行われたという証拠を提供し，作業にかかる費用が少しずつ支払われる。また，より具体的な利用例としては，農場の土壌の水分センサーからデータを受け取るスマートコントラクトが考えられる。土壌が乾燥しすぎた場合には，必要な分の料金を正確に供給者に支払い，自動灌漑（かんがい）システムを介して必要な場所に水を送ることができる。

ネットワーク分割の美点（と恐怖）について

ブロックチェーンテクノロジーで重要なのが，ネットワークの分割だ。これは，ブロックチェーンの異なるバージョンの履歴が存在し，どちらの履歴を保存すべきかでノードが一致しなかったときに発生する。分割の結果，合計すると元のネットワークと同じ数のノードをもつ二つの新たなネットワークが生まれる。ブロックチェーンネットワークは，ノードの数が減ると安全性が低下するため，このような分裂は気がかりである。さらに二つのネットワークがかなりの数のノードをもっている場合，深刻な問題にもなりうる。

ネットワーク分裂の恐れが常に存在するのが悪いことだと言いたいわけではない。それはむしろこのテクノロジーの面白さの核心なのだ。誰でもブロックチェーンネットワークの履歴を変えたり，既存のネットワークを管理するのと同じソフトウェアを使って新しいブロックチェーンネットワークを立ち上げたりできる。もしその人が，多くのノード運営者に自分のバージョンのネットワークを支持させることができれば，少なくともある程度の成功を収めることができる。ほとんどのノード運営者が支持しないような変更を行っても新しい（ごく小さな）ネットワークを生み出すことができるが，誰もそのような存在のことは気にしないだろう。何者かがネットワーク全体をコントロールしようとしても，このような方法でその脅威に対抗することができる。

決済のスーパーハイウェイ

さて，ごく簡単な技術的な説明はここまでにして，なぜブロックチェーンに理解すべき価値があるのかに話を戻そう。新しいデジタル時代が到来すると予測され，ブロックチェーンネットワークが「価値のインターネット」として機能し，ほぼ無料で，ほぼ瞬時に，簡単に送金できるようになると先に述べた。この新しいインターネットは多額の送金をサポートするだけでなく，マイクロペイメントとして知られる非常に小さな送金もサポートすることになるだろう。一部のハイテク熱狂者たちは，マイクロペイメントがまったく新しい経済の基礎になりうると推測している。

10セントや20セント，あるいは1ペニー未満の端数を送金する目的は何だろうか？　一例として，インターネットユーザーが訪問したウェブサイトにマイクロペイメントを支払うようになれば，ユーザーのデータを収集・販売しなくても利益を得られるサイトが増えるかもしれない。バーチャルリアリティのパイオニアでテクノロジー評論家のジャロン・ラニアーが提唱したこの資金調達モデルは，すべてのウェブサイトに同じように適しているわけではないだろうが，私たちのデータが，許可も補償もなく企業が金儲けするのに使われているのではないかという懸念を解消するのに役立つだろう。

マイクロペイメントは，インターネットのような既存のシステムに組み込むだけでなく，新たな相互作用への扉も開きうる。研究者がすでに構築している例の一つ，ピア・ツー・ピアのエネルギー販売について詳しく見てみよう。

各家庭にスマートコントラクトと相互作用する電気メーターが設置された街を想像してほしい。これらの家のなかには，再生可能エネルギー（太陽光など）で発電している家もあれば，そうでない家もある。自家発電をしている人は，自宅でその電力を使うほか，隣人にも販売している（ブロックチェーンとの関係の有無を問わず，この種のネットワークはマイクログリッドと呼ばれる）。エネルギーの販売は，ある家のメーターの数値が低いことがスマートコントラクトに通知されたときに始まる。スマートコントラクトはその隣の家にエネルギーの余裕があることを認識し，お金を電気と交換するプロセスを完全自動で実行するだろう。

マイクログリッドは，今日支配的な巨大電力網に代わる，より環境に優しく弾力性のある代替手段として提案されている。巨大電力網では，中央の電力供給がストップした場合，大部分が停電する構造となっていることが多い。巨大電力網を運営する事業者は，自然災害が発生した際に電力を迅速に復旧できず，スキャンダルとなったり国民の幸福を無視していると非難されたりすることがある。また，巨大電力網は破壊工作にも弱いといわれている。

マイクログリッドの普及には多方面の協力と努力が必要だが，暗号通貨とスマートコントラクトを採用すれば販売プロセスを自動化でき，理論的には障害の一つを取り除くことができる。これは，マイクロペイメントをほかの戦略やテクノロジーと組み合わせることで，イノベーションへの可能性が開かれる一例である。

大量のコンピュータを常に利用できる

自動送金が可能になれば，既存のリソースの余っている部分を利用することも容易になるだろう。たとえば，暗号通貨を用いた支払いによって分散型ストレージプラットフォームを生み出すことができる。ユーザーはドロップボックスと同じようにファイルを保存できるが，そこには決定的な違いがある。ある会社にお金を払ってサーバーにデータを保存してもらうのではなく，ランダムに選ばれた人にお金を払って，パソコンの空きスペースにファイルを保存してもらうようになるのだ。このようなネットワークを構築しようとする一つの試みに惑星間ファイルシステムと呼ばれるプロジェクトがある。

ブロックチェーン関連企業のゴーレムは，コンピュータの処理能力の余剰分を売買するマーケットプレイスを構築している。ユーザーはこのプラットフォームを「分散型スーパーコンピュータ」として扱い，大量の計算能力が必要なときに利用することが推奨されている。

複数のコンピュータの処理能力をある目的のために利用するというアイデアは，ブロックチェーン以前からあった。スタンフォード大学のビジェイ・パンデ教授が2000年に立ち上げたフォールディング・アット・ホームというプロジェクトは，ボランティアの自宅にあるコンピュータの処理能力を利用して，タンパク質の立体構造をシミュレーションするものだ。アルツハイマー病などの研究に役立つことが期待されている。パンデはこの目的のためにコンピュータのネットワークを構築することで，余剰の処理能力を斬新で独創的な目的に利用できることを実証した。膨大な量のコンピュータのパワーが，研究者や資金のある組織だけではなく，誰もが常に利用できるようになったらどうなるだろうか。スマートフォンユーザー向けのサービスなど，これまで想像もできなかったさまざまなサービスを開発できるようになるだろう。

「インターネットの分散化」のためのツール？

先述したが，インターネットは二つの重要な約束を果たすのに失敗した。第一は私たちのニーズに無関心な人々が運営する中央集権的なシステムへの依存を断ち切ること，第二は私たちをより自由にすることだ。ブロックチェーンテクノロジーは，限られた程度であっても，インターネットの中央集権の解消に役立つかもしれない。その方法を理解するために，なぜ技術者たちが「インターネットの分散化」が重要であると考えているのかを紹介しよう。

第17章に登場したギフィ・ネットを共同設立したラモン・ロカは，インターネットのアーキテクチャにおける中央集権化のすべての事例が，障害点になりうる場所を示していると私たちに話した。最も重要なのは，ほとんどのユーザーが民間のISPを通じてインターネットに接続しているという事実だという。ギフィ・ネットのロヘル・バイグ・ヴィニャスによると，これらの会社はしばしば顧客の利益を最優先せずに行動する。ISPは恣意(しい)的に料金を上げたり，より高額な料金を支払っている顧客によりよいサービスを提供したり，顧客が依存している重要なネットワークインフラを自らの利益のために売却したりしている。ロカは，ISPを回避する最も簡単な方法は，「コミュニティネットワーク」を構築し，「インターネットのバックボーン」つまり大量のデータを世界中と送受信している光ファイバーケーブルにユーザーを接続させることだという。ブロックチェーンテクノロジーがこの取り組みのなかでどのような役割を果たせるかは明確でないが，インターネットの別の層の分散化をサポートする可能性があるとロカは考えている。

ドメインネームシステム（DNS）は，現在のインターネット経験の重要な要素になっている。DNSは，実際にウェブサイトを特定するための数値アドレスを，人々が読めるアドレス（例：google.com）に結びつける。DNSは膨大な量の解決*要求を管理するのに非常に効果的で，大量のオンライン上での活動をサポートできる。しかし，このシステムはルートサーバーにも依存しており，これが障害点になりうる。攻撃者は，これらのサーバーをオフラインにしたり，サーバーを操作してユーザーを誤ったサイトに導いてパスワードなどの機密情報を漏洩(ろうえい)させたりする可能性がある。現在，いくつかのチームが，DNSのさまざまな構成要素を置き換えて，ブロックチェーンベースの分散化されたシステムにつくり替えようとしている。これが完成すれば，ルートサーバーは何の役割ももたなくなる。

さらに，先に述べた分散型ストレージプラットフォームは，巨大営利企業からユーザーのデータを守るのにも役立つかもしれない。明らかなことかもしれないが，お金がインターネット上の活動の原動力であることを指摘することも重要だ。デジタルマネーの転送プロセスを分散化することで，このテクノロジーはウェブに接続された金融インフラを分散化することができる。

最後に，多くの分散化されたアプリケーションがオンライン上に登場している。ハイテクジャーナリストのトム・サイモナイトの調査によると，そのほとんどはすでにある既存サービスをプライベートなものにしたアプリだ。ユーザーデータを収集しないYouTubeやグーグルドキュメントを想像してほしい。現在はプライバシーが主なセールスポイントとなっているが，これらのアプリはまだ第1世代に過ぎない。発展するにつれて，ほかの長所も明らかになるだろう。

結局，インターネットのあらゆる層を完全に分散化する明確な道筋はない。その夢を現実のものにしようとする者は，現実的な譲歩をしなければならない。たとえば，「分散型アプリケーションのための新しいインターネット」の構築に取り組む公益法人ブロックスタックは，ドロップボックス，アマゾン，グーグルなどのクラウドストレージサービスにも依存している。つまり，「すべてのものを分散化するレース」は，短距離走というよりもマラソンに近いといえる。

よりよいシステムをつくるためのツール？

スマートコントラクトはまだ生まれたばかりだが，適切な環境の下では社会・経済によい結果をもたらすツールとなるはずだ。たとえば，アダムの考えではスマートコントラクトは組合の基本的機能をサポートできる。具体的には，投票，組合費の納入，会計監査の認証，不正行為の報告などだ。分散化された組合では，国や大陸をまたいだ労働者が一つの集団として交渉できるようになる。その労働者は，国際的ライドシェア企業のドライバーたちかもしれない。衣料産業の長く複雑なサプライチェーンのさまざまな領域で働く人々かもしれない。同じモデルは従来とは違うタイプの

---

*人間が読めるアドレスを数値アドレスに変換することを「解決」という。

組合の組織にも利用できる。たとえば，消費者が組合を組織し，生産者に品質基準の改善やコンプライアンスの充実を求めたりできるだろう。

マイクログリッドの事例でも見たように，スマートコントラクトは既存の巨大システムの効率化にも利用できる。スタートアップ企業のハイパーループTTは，環境への影響に応じて運賃を設定することで無駄な振る舞いを抑制するような交通システムを提案している。スマートコントラクトによって，乗客の選好を分析し，乗り合い可のユーザーには安価な手段を，スピードを重視するユーザーには高価な手段を提案するという。別のスマートコントラクトでは料金所やハイパーループ*のオーナー，車の所有者，環境に負荷の少ない方法で車の処分をする業者に乗客が料金を払えるようになる。

労働組合と交通の二つは，大集団においてもスマートコントラクトによって社会的に望ましい結果が得られることを示す例だが，スマートコントラクトは個人が公共に貢献することにも利用できるはずだ。たとえば，デジタルなトークンを用いて物理的な存在を代表させる「トークン化」によって，自動車や店頭を共有できるようになる。3人でタクシーを共有し，シフトをずらして運転したり，4人の料理店主が一つの店を使って朝食，昼食，夕食，深夜に分かれて営業したりできる。共有者同士のお金のやり取りはスマートコントラクトが自動で行ってくれる。この仕組みにより，都市では貴重な空間（や車などの物）を効率的に利用できるようになり，資金の少ない人でも経済に参加できる場がつくられる。

障害

ブロックチェーンで将来的に何ができるかについて述べ続けているのには理由がある。「キラーアプリ」の多くは，現段階でテクノロジーがサポートできないためにまだ存在していないのだ。状況を改善するための時間は限られている。イーサリアムネットワークを決済に利用するアダルト向けのウェブカメラモデルサイト「スパンクチェーン」のCEOであるアミーン・ソレイマニは，2018年後半に「ブロックチェーンが永遠に世間から注目されるわけではないだろう」と警告している。説得力のある結果を出せなければ，ブロックチェーンは忘れられ，何かを構築する機会は失われるというのだ。

我々の考えでは，ブロックチェーンネットワークが現在直面する最大の問題は，取引の処理数に制限があることと，暗号通貨の使用が困難でリスクが高いという事実だ。これらを一つずつ分析してみよう。

ブロックチェーンネットワークは1日に100万件以上の取引を処理できるが，このテクノロジーが世界的に採用されれば数十億件の取引やスマートコントラクトの要求の処理が必要になる。今の数字ではまったく足りないのだ。各ブロックが保持するデータ量には限りがあるため，あまりにも多くの取引が試みられた場合，ブロックチェーンに記録を追加するのに時間がかかる。取引量が増えると，送信者はブロックチェーンに取引を記録させるためにより高い料金を支払わなければならなくなる。これは，ネットワークを利用するためのコストが一時的に高くなることを意味する。

このテクノロジーの最初の10年で明らかになったもう一つの重大な欠点は，使い勝手だ。ブロックチェーンは，信者や投資家にとってはセクシーに見えるかもしれないが，部外者はブロックチェーンアプリに戸惑いを覚えることが多く，参加人数は多くない。ほとんどの場合，これらのアプリはブロックチェーンの複雑さをユーザーにとって少し和らげることしかできない。スパンクチェーンの共同創設者であるウィルズ・ド・ヴォジラ

---

*イーロン・マスクが提唱する真空チューブ型鉄道。

ーがアダムに語ったように，専門家ではない人々は，安全かつ簡単に利用できる場合にのみ，テクノロジーをひとまとめで取り入れる。ほとんどの人々が裏で何が起こっているのかをよく知らないままだ。

安全性の面では，暗号通貨を扱う際には，自分が何をやっているかわかっている人でも大金を失う可能性がある。たとえば，受信者の公開鍵の文字を入れ替えてしまい，ユーザーが間違ったアドレスに送金してしまった場合などだ（ビットコインにはこのようなエラーに対するセーフガードがあるが，イーサリアムなどほかのブロックチェーンネットワークにはない）。詐欺師や悪意のあるハッカーの被害に遭ったり，ほかにも資金を失うさまざまな可能性がある。たとえば，2017年のクリスマスに，バージ・ブロックチェーンのある不幸なユーザーが，7万3786.05ドルを送金するつもりだったのに，上の空でその金額をマイニングの手数料としてキー入力したため，受取人ではなく，幸運なマイナーたちに莫大(ばくだい)な金額を支払ってしまったのだ。

さらに，これらの事故とは異なり価格変動は，防御することがほとんど不可能なリスク要因だ。暗号通貨市場は非常に不安定であり，保有者にとれる対策は何もない。この市場の不安定さが，暗号通貨への参入者が少ない一因だ。暗号通貨の価値が1日で10％も下がることがあるなら，経済的に余裕のない人たちがお金を預けることはできない。ブロックチェーンの開発者たちは，この脅威を無力化するために，安定コインと呼ばれるトークンを作成した。安定コインは特定の国の通貨の価値に連動する。しかし，この章を書いている時点では，市場に出回っている安定コインで，広く長期的に利用されうると確信できるものはない。

これらの問題はブロックチェーン空間をいつまでも押しとどめることはないだろう。問題が広く知られており，多くの開発者が解決に向け努力しているからだ。取引の時間とコストを減らすためのいくつかの取り組み

（プラズマブロックチェーンと呼ばれるものを使用するなど）は，現時点では有望に見えるが，それが実装されるか，されるとしていつなのかは明らかではない。もしこのテクノロジーが本当に普及するとしたら，それは複数の拡大戦略のおかげであり，そのプロセスには複数のネットワークが必要になるかもしれない。

ブロックチェーンを使いやすいものにするには，ユーザーが身元を簡単・確実に証明できるIDシステムを構築することが必要だろう。部分的な解決策はすでに開発されているが，完全に安全で本当に便利なIDシステムが稼働するまでにはしばらく時間がかかるだろう。価格変動の問題に関しては，解決への明確な道はまだ見つかっていない。

長期的な課題

これらの障害が手ごわいことは確かだが，それよりもブロックチェーンテクノロジーが実際に大規模なものになった場合に何が起こるのかが気になるところだ。混乱し，弱者が食い物にされ，腐敗した世界で生き延びていく際に，ブロックチェーンテクノロジーは，私たちがすがりつくことができる公正なものを提供すると約束した。しかし，宣伝されているように暴政や不平等から守ってくれるのだろうか，それとも私たちが利用されるだけなのだろうか？　本当の課題は，このテクノロジーを構築することより，現場で実際に機能させることだ。主要な暗号通貨取引所のCEOが私物化されたトーゴの独裁者と会談した例が示すのは，ブロックチェーンが自由のない場所に自由をもたらすという保証はないということだ。不注意で無責任な方法で導入された場合，逆効果になることさえある。あるいは，イーサリアム財団のディレクターである宮口あやが語ったように，ブロックチェーン空間が「分散化の名の下により多くの中央集権」を生み出す可能性は十分にあるのだ。

なぜこれが脅威なのか？　分散化は歓迎されているものの，これらのネットワークの管理を実際にどのように分散化するかという問題が解決されていないからである。解決策を見つけるために，ブロックチェーン空間の人々は，以下のような重大な疑問に直面している。システムのルールを定義する正統な権利は誰にあるのか？　そして，ユーザーはどのようなプロセスでこれらのシステムの進化に影響を与えるべきなのか？　ブロックチェーンベースのシステムによって今日のインターネットよりもよい成果を達成することを望むのであれば，最初からこれらの問題に取り組み，何度も再検討することが重要だ。

2018年に生じたイーサリアムコミュニティ内の対立は，ガバナンスの問題を表面化させた。ここでは説明しきれないほどたくさんの出来事があったあと，オンライン上での口論の嵐のなかで，イーサリアムでソフトウェア編集の任務にあった平井洋一が辞任した。先にノードはコンピュータプログラムであると述べた。多くのネットワークでは，ノード運営者が，複数のクライアントから選択することができる。これらのクライアントは，それぞれがブロックチェーンのまったく同一のコピーを保存することになっているにもかかわらず，ネットワークのルールを定義するソフトウェアの実装方法が微妙に異なる場合がある。イーサリアムのいわゆるコア開発者がこのソフトウェアに変更を加えた場合，それに応じて自分のクライアントを更新するかどうかは，クライアントの背後にいるチームに任されている。

平井は，このソフトウェアの「公式」コピーを編集する権限をもった6人のうちの一人だった。平井は辞任する直前に，コア開発者が変更を加え，比較的少数のクライアントプロバイダーが変更を実装するというシステムでは，ノードの運営者が変更を十分に確認せずに受け入れてしまう傾向が生まれると主張した。中央集権化を防ぐために，彼はより広範なイーサリアムコミュニティが変更のプロセスに関与すべきだと主張したのだ。「理想的なのは，コアチームからではなく，中心点のない混沌としたコミュニケーションパターンのなかから，よく練られた変更が生まれてくることだ」と平井は述べた。また，特に（彼のように）選挙で選ばれたわけでもない人たちがある種の「権威」をもって分散型システムを変更することにも疑問を呈した。

確かに，事実上の意思決定機関の存在は，多くの人々がブロックチェーンネットワークを利用するようになった場合，問題になる可能性がある。さらに，ネットワークの規模が大きくなるにつれて，分散化が常に脅威にさらされるという懸念がある。

暗号通貨が軌道に乗った際に，ほかの成長痛が起きる可能性もある。一般的な暗号通貨の神話について考えてみよう。ある国の通貨が徐々に価値を失い，住民は損切りをして，貯蓄をその国の通貨から暗号通貨に移すことにする。うまくいくなら，暗号通貨によって危機から脱することができ，物語はそこで終わる。もう一つの可能性としては，この過程で国の通貨の切り下げが加速し，パニック売りに拍車がかかることになるかもしれない。もしそうなれば，その国の最も脆弱な人々は国の通貨を手放すチャンスを得られないかもしれない。

最後に言及しなければならないのは，ブロックチェーン空間には技術的なインサイダー主義が存在し，技術的な専門知識を示すことが尊敬を得るための最も手っ取り早い方法となっているということだ。このような環境では，問題が実際に技術的なものであるかどうかにかかわらず，あらゆる問題を技術的に解決しようとする傾向が生まれる。コーディングができないとか，DLT システムについて知らないことがあるといった理由でアウトサイダーの意見が却下されてしまうのだ。そうなると，貴重であるかもしれない視点が失われ，複雑な問題を解決するために開発者が近視眼的な対処法しかとれない事態を招きかねない。

楽観の根拠

ブロックチェーン空間で混乱しているのは，どこが最先端なのかが明確になっていないことだ。何十ものチームが，ブロックチェーンをより使いやすくするための適切に聞こえる戦略に取り組んでいる。そのうちどれかがうまくいくかはさておき，この集団的な実験はすでにいくつかの点で将来の努力の有用な手本になっているにちがいない。

第一に，世界中の人々が，根本では単一の問題に頭脳を集中させている。さらに，何千人（おそらく全体では数万人）もの人々が集まって，ハイテク産業のほとんどの分野よりも企業の影響力がはるかに少ない，そこそこの規模の産業をゼロからつくり出したのだ。何が達成されるかは未知数だが，シリコンバレーの鋳型にはまらないテクノロジーを生み出そうとする草の根の素晴らしい試みであることは明らかだ。

また，印象的なのは，これらのシステムの脆さや複雑さによって，テクノロジーを机上で考えようとする努力が挫折させられることだ。たとえば，暗号通貨が広く利用されるためには，多くのことが適切に行われなければならない。マイナー同士の競争を止めてはならないので，一定のインセンティブが維持されなければならない。市場の力（投機家や価格操作者を含む）が極端な価格変動を引き起こさないようにしなければならない。平均的な人が資金を送受信し，保管できる安全で簡単な方法が必要だ。このように，これらのシステムは，テクノロジーを単なるツールのセットとして考えるのではなく，どういう結果をもたらすかという観点から評価することを私たちに促している。DLTがテクノロジーをより全体的に評価することを教えてくれるわけではないにしても，自ら集まった技術者たちが成果について議論していることは意義深いことだと思われる。

暗号通貨アラゴンの共同創設者ルイス・アイヴァン・クエンデの言葉を借りれば，ブロックチェーンの約束は，人々に「インセンティブをよりよく調整し，資源を分配するシステムをつくる力」を与えることである。もしかすると，このテクノロジーによって，人類の石油への依存度を下げるといった共通の課題に対して，創造的で効果的な方法によって協力できるようになるかもしれない。ここで私たちが伝えたいのは，多くの人々がテクノロジーと現実世界で直面している課題の両方に批判的に関わってこそ，成果を得られるということだ。クエンデが言うように，テクノロジーは私たちの生活を改善するのに役立つかもしれないが，「世界規模で，意識的で，協調的な努力がなければ，前途は信じられないほど暗いものになる」。

最後に

私たちは，ブロックチェーンが世界を救うという幻想を抱いているわけではない。しかし，そのネットワークの分散化されたアーキテクチャは，ユーザーのニーズを満たす草の根のソリューションのツールとなる可能性を秘めている。このテクノロジーはまた，セキュリティやプライバシーなど，従来のコンピューティングの経験が不足している分野でも大きなブレークスルーを提供する可能性があるのだ。

ブロックチェーンテクノロジーは，企業との結びつきにより左右されないデジタルサービスになりうる点に価値がある。だから，我々はそれに注目し，関与し続ける価値があると信じている。好むと好まざるとにかかわらず，私たちは皆いずれブロックチェーンのユーザーになるかもしれない。このテクノロジーがあなたにとって重要な目標を達成するのに使われることを望むなら，議論に参加してかじ取りを手伝うべきだ。私たちとしては，新たな声，誇大抜きで話す人たちの声に耳を傾け続ける。

第24章　すべての人のためのテクノロジー

心理学者・言語学者のスティーブン・ピンカーは2018年に出版した著書『21世紀の啓蒙』(2019年草思社)で，現代についての悲観論を論破しようとしている。確かに環境破壊や所得格差，政治的な二極化などの問題はある。しかしピンカーは，人類の本当の物語は進歩と成果であると主張している。「平均寿命は1800年代から2倍以上に伸び，極度な貧困は減少している。職場環境，自動車の安全性，治安も改善した。凶悪犯罪や戦争による死亡率は減少している。識字率は上昇傾向にある。私たち人間は今，これまでよりもはるかに恵まれている」とピンカーは言う。――我々が失ったのは将来への見通しだけなのだ，と。

しかし，この心理学者の視点は，「クオリティ・オブ・ライフ(QOL)」を客観的に数値化できるものと扱っており，問題がある。進歩に対するピンカーの評価尺度に内在するのは，「世界はどう動くか」「よい生活とは何か」についての非常に典型的な西洋的想定だ。自動車の安全についていえば，エアバッグ，ブレーキ，バックカメラが改善され，通勤する人を怪我や死から守ってくれるのは素晴らしいことだ。しかし，エアバッグなどの安全対策は，自動車業界の善意からではなく，正しいこと，理にかなったことを守るために人々が立ち上がったときに生まれてくるものだ。

そのうえ，自動車自体が環境によいとはいえない。人類は気候変動の深みにはまっており，多くの科学者は，人類が環境に取り返しのつかない影響を与え「人新世(じんしんせい)(アントロポセン)」という地質学的時代に突入したと言っている。

1800年代から何も改善されていないと言いたいわけではない。私が批判したいのは，人間生活の「改善」を追求するなかで，私たちが無視したり，見過ごしたり，傷つけたりしてきたものをピンカーが見ていないという点だ。これらのトレードオフに注意を払うことで，今まで顧みられなかったものも含めて，将来のイノベーションの可能性をより全面的に見ることができるだろう。また，私たちが目標とできるものへの理解を広げることができるだろう。

明日のテクノロジーはこれから生まれるし，今日のテクノロジーを改善することもできる。道は選べるのだ。システムを設計し，調整し，生活のなかに組み込む方法に磨きをかけるには，多様な当事者(特に最も脆弱な人々)を巻き込んで，本当の権威，発言権をもつ立場に置く必要がある。積極的なコラボレーションの倫理によって気候変動のような負の影響を克服することができる。これらの負の影響は，生産性と利益の執拗な追求が，きれいな空気や水といったほかの価値を置き去りにしたときに発生する。

シリコンバレーの億万長者の発明家であり投資家でもあるピーター・ティールや，ブロックチェーンや暗号通貨の世界で活躍する人々など，私が本書で取り上げたハイテク界のプレーヤーの多くは，ある神話を提唱している。その神話とは，インターネットは個人に力を与え，不必要な制約から企業を解放することで，善の力として「何の疑いもなく」機能するというものだ。しかし，問題がある。誰もが好き放題に行動すれば，ジャングルの掟に逆戻りだ。雑多な人間で構成された社会よりも企業のほうが通常大きく，強く，より冷酷に目的を追求する。基本的な文化的・経済的ニーズの脆弱性は，資本主義の堅固な力に直面したときに恐ろしいものになる。

私の議論は,エンジニアやテクノロジー全体に向けられたものではない。経済的な不平等，民主主義への脅威，文化的な誤解などはすべてインターネットとは無関係に存在しており，原因をテクノロジーやそのリバタリアンの伝道者たちに押しつけることはできない。最大手のハイテク企業は，するだろうと思われてきたことを正確に行ってきた。それは成長し，企業価値を向上させてよい決算を出すことだ。企業が自己利益を最大化するにしたがって，それ以外の私たちは問題に遭遇するようになった。しかし，それはそのようになる必然性があったわけではないし,今後もそうである。社会的な課題をテクノロジーだけのせいにすることができないという事実は，ユーザーや市民として望む変化を手に入れる責任は私たちにあるという考えを強化するだろう。

政府や政治家が解決策を考え出して，オンラインプラットフォームに説明責任があり，透明性があり，私たち全員に価値を還元できるようにしてくれると考えてはならない。世界中のあまりにも多くの政治家が，裕福な資金提供者や支援者の要求に応じることを余儀なくされている。そして，リベラルを含む一部の政治家は，最も裕福な１％の人々から選挙運動で直接支援を受けているが，彼らの利益は一般の人々のものとは当然ながら異なる。

しかし,場合によっては政治家が味方になってくれることもある。2020年のアメリカ大統領選挙に出馬した政治家の一人が，巨大ハイテク企業の説明責任を選挙戦の基盤の一つにすることを約束している。エリザベス・ウォーレン上院議員は，グーグル，アマゾン，フェイスブックの不公平な優位性を規制し，打ち破るために「担当監視者」を要求している。たとえば,アマゾンのマーケットプレイスが商品の売買の場となるのは構わない。しかし,アマゾンが顧客の購買習慣について収集した膨大なデータを使って,プラットフォーム上の中小企業やイノベーターを競争相手とし,操り,支配することは許されない。舞台裏から操られる人形であり続けるのではなく,誰もがチャンスを得られるデジタルの世界に戻るよう,ウォーレンは大胆に問いかけている。

ヨーロッパ連合(EU)では,ハイテク企業の透明性改善に取り組む措置が2018年5月に施行された。一般データ保護規則(GDPR)では,ユーザーが自分のデータがどのように利用されるかを知る機会が与えられ,これらの利用に同意するかどうかを選べるようにするための手段として,法的対策や罰金が設定されている。欧州委員会は,フェイクニュースやオンライン上の偽情報(国民に害を及ぼす虚偽,不正確,または誤解を招く情報と定義される)に対処するための政策の取り組みに助言を受けるため,専門家のハイレベルグループ(HLEGと呼ばれる)を招請した。その後に出されたHLEGの報告書は▽オンラインニュースのソースの透明性を確保すること▽ニュースコンテンツに対するユーザーの理解度を高めること▽ローカルジャーナリストに権限を与えること▽オンラインプラットフォームによって目に見えない形でフィルタリングされるのではなく,ニュースエコシステムの多様性が維持されるようにすること——が重要であると強調している。

テクノロジーは,公平性,正義,多様性といった価値への短期・長期の影響を考慮して設計することができる(設計者がこれらの価値を本当に重視していればだが)。マーク・ザッカーバーグがかつて提唱した「すばやく行動し破壊せよ」ではなく,「ゆっくり行動して破壊するな」を信念とすべきだ。

そのためには,まず設計者とユーザーのダイナミックな関係を偶発的なものとして認識する必要がある。つまり，ユーザーである自分自身を潜在的な設計者として認識するのだ。加えて，重要な疑問に答えなければならない。私たちが望むインターネットは，個人的な利益のために自動化テクノロジーやギグエコノミーテクノロジーを構築する人々の力と富を増幅させるために，私たち全員からデータを収奪するようなものだろうか。たとえば，私たちの多くは気候変動に関心をもっている。この明確な世界的危機に比べると，平等なインターネットを求める闘いは抽象的に見えるかもしれない。しかし，テクノロジーが私たちの意思決定に影響を与え，考えていることや知っていることを形づくっていることを考えれば，空気や水が自然環境にとって重要であるのと同じように，テクノロジーは私たちの社会にとって欠かせないものなのだ。インターネットが生活のなかで当たり前になっていることについて，私たちは立ち止まるのでなく，急ぐべきだ。どのようなインフラで，どのような設計で，どのような発信プロセスで，そして最も重要なのは，どのような社会的役割や関係性を，この世界で促進したいのか。「意見がない」というのは，もはや意見ではない。

本書も終盤に差し掛かった。ほかのすべての人を犠牲にして一部の人だけに奉仕するのではなく，すべての人に奉仕するテクノロジーがどのようなものかを示す現在進行中の取り組みを紹介したい。私が本書で批判してきた大手ハイテク企業のなかにも，そのプラットフォームが引き起こした負の影響を抑制する取り組みが存在する。

アルゴリズムのジャスティス・リーグ

ジョイ・ブオラムウィニは「コードの詩人」「芸術と科学の娘」と自称する。これらの名が反映するのは，アーティストであり作家でもある両親の影響や，ガーナ系アメリカ人女性として，幼少期にロボット技術に魅了されてからコンピュータ科学者として歩んできたキャリアだ。2016年のTED講演「アルゴリズムに潜む偏見と闘う」が，彼女の知名度を高めた。私がブオラムウィニに会ったとき，彼女は週1回ソレダッド・オブライエンの司会で放送されるABCの政治番組「マター・オブ・ファクト」のインタビューを翌日に控え準備に追われていた。

MITメディアラボの大学院生だったブオラムウィニは，顔認識ソフトウェアとウェブカメラを使ったアート・サイエンス・プロジェクトを開発した。しかし，このソフトが彼女の黒い肌を読み取ることができなかったため，カメラに「認識」してもらうためには白いマスクをつけなければならなかった。さらに，ほかのシステムにも深刻な偏見があることが明らかになった。彼女は，自分がシステムからどれだけ黒人女性として蔑視されているのか（そもそも存在を認識されているなら）に，無気力になると同時に呆れたのだ。今，彼女の作品が目指すのは，私たちが使用しているデジタルシステムが日常生活の偏見や不平等を永続させているという厄介な事実を認識させることだ。彼女はもはや，偏見を含んだテクノロジーを扱うために自分自身やアイデンティティを修正しようとはしない。彼女はシンプルな疑問を投げかける。なぜテクノロジーは私たち全員に奉仕することができないのか？

ブオラムウィニは，社会運動を扇動することを望んでいる。彼女は，コミックに触発され「アルゴリズムのジャスティス・リーグ」を結成した。AIのなかの有害なバイアスを表現するために彼女が生み出した言葉を借りれば，「コード化された視線」と闘うということだ。コンピュータサイエンスと芸術への興味を融合させ，彼女は視覚的な詩「AI，私は女ではないのだろうか？」を創造した。そのなかでは，AIシステムがオプラ・ウィンフリー，セリーナ・ウィリアムズ，ミシェル・オバマなど著名な有色人種の女性の性別を正しく識別できないことが示されている。その詩でブオラムウィニが語ったのは，中国政府が出資する顔認識AIプログラムのフェイス・プラス・プラス（Face++）が，多くの人が史上最高のアスリートとみなすアフリカ系アメリカ人のプロテニスプレーヤーであるウィリアムズを，一貫して男性であると認識しているという事実だ——10年以上にもわたる期間，写真にアクセスしているにもかかわらず。

どの顔認識システムの話をしているのかは問題ではない。マイクロソフト，IBM，グーグル，フェイスブック，アマゾンなどはすべて，有名な黒人女性を認識できないテクノロジーを生み出してきた。なぜだろうか？おそらく，AIソフトウェアを訓練するために使用されるデータセットが，ほとんど男性と白人の顔ばかりだからだ。『ニューヨーク・タイムズ（*The New York Times*）』紙が報じた有名なケースでは，顔認識データセットの75％以上を男性，80％以上を白人が占めていると推計されている。すべての人がソフトウェアを使えるようにするには，データセットにあらゆる種類の顔が含まれているのが当然だと思えるかもしれない。しかし，これらのシステムを構築するAIエンジニアの人種と性別（圧倒的に白人と男性）のせいで，この点が見落とされた可能性が高い。AIが刑事司法制度，雇用，融資など，私たちが頼りにしている制度に組み込まれるようになるにつれ，公平で正当なAIシステムの構築は，現代の重要な人権問題となってきている。

しかも，AIに関する透明性が低い状態が続くと，公平性の確保が困難になるだろう。メディアアーティストでありAI開発者でもあるパラグ・ミタルはニュースサイト『テッククランチ』の記事で，少数の民間企業がデジタルデータの大半を所有することの危険性について懸念を抱いている。「AIを使って研究されていることの多くは，世間に知られていない」と彼は書いている。「それは，ごく一部の巨大企業の秘密調査である可能性が高い。秘密にされているものについて，一般の人々がどうやって情報に基づいた決定を下せるというのだろうか？」。

私たちは，デジタルの未来を設計するにあたってバイアスを永続させるかどうかの瀬戸際にいる。女性，先住民族，人種的マイノリティ，貧困層が世界中で脆弱な立場にあることを認識することは素晴らしい第一歩だが，それだけでは十分ではない。実際に行動して，この認識とそれを監査する能力をテクノロジーに組み込む必要がある。テクノロジーがどのようにしてつくられているかをほとんど知らないからといって，テクノロジーが中立的なものと捉えるなら，頭を砂のなかに突っ込んで見ないふりをしているのと同じだ。私たちの世界に蔓延しているバイアスは，無視していても消えない。それどころか，テクノロジーの設計をあと押ししたのが誰の声や価値観か，また誰の声や価値観が反映されなかったのかを認識せずにテクノロジーを使う人が増えていけば，偏見はこれまで以上に広まっていくかもしれない。

AIの野望

アルゴリズムのバイアス問題にシリコンバレーが取り組むことも十分期待できるかもしれない。Yコンビネータの創設者で非営利研究組織オープンAIの共同創設者でもあるサム・アルトマンや，テスラの創設者でCEOのイーロン・マスクらテクノロジー界の大物や最大手企業の代表者たちが，AIにおけるバイアスについての懸念を表明し始めている。

問題を認識することが第一歩だ。アルトマンは，「AI研究者の分野は，これまで見てきたなかで最も多様性に欠ける」と私に語った。彼が最近知った統計では，機械系の博士号取得者の99％は男性だったという。アルトマンは率直に「彼らはこの分野で最も大きな影響力をもっている」と述べた。

では，オープンAIはこの件について何をしてきたのだろうか。この組織が採用したのは，「未来を予測する最良の方法は，それを発明することである」という有名な言葉だ。この格言はオブジェクト指向プログラミング言語やグラフィカルユーザーインターフェースに大きく貢献したコンピュータサイエンスのパイオニア，アラン・ケイのものだ。この精神に基づき，オープンAIはAIを進化させて人類全体に利益をもたらすことを目標としている。この組織が誓うのは，「個々の人間の意思を拡張し，自由の精神に基づき，可能な限り広く均一に分散された」知的システムを支援することだ。この目標は崇高に聞こえるが，全員のために創造するという一般化されたアプローチ（「個人の自由」を最適化するもの）と，公平性に特化したアプローチ（AIシステムにおけるバイアスや不公平に対処しようとするもの）との間にある緊張関係を示している。

ここで保険業界を例に，どのように変化しているかを考えてみよう。アメリカの古参大手の生命保険会社ジョン・ハンコックは，今では従来の生命保険の引き受けをやめ，ウェアラブルデバイスを通じて健康データを追跡する「双方向型」の保険しか販売していない。AIの影響を研究している最も重要な研究者の一人であるケイト・クロフォードは，これを受けてツイートした。「いつか来ると思っていたが，ついに来た。数限りない落とし穴が待ち受けている。データの不正確さ，意図的なデータ操作，24時間365日の監視，無限に悪化するデータ侵害」。

ジョン・ハンコックは例外ではなく，すぐに当たり前になるかもしれない。アカデミー賞を受賞した映画監督マイケル・ムーアは，ドキュメンタリー映画『華氏119』でドナルド・トランプの台頭と大統領就任がアメリカの民主主義にもたらす脅威に焦点を当てたが，2018年初頭にウェストバージニア州で起きた教師の大規模なストライキも取り上げた。そのストライキは，州政府が賃上げの代わりに労働者のヘルスケアを「アップグレード」しようとしたことへの抗議として始まった。ディストピアを思わせるが，新しい管理者が，身体活動を追跡するために教師にフィットビット*のようなデバイスを着用することを強制したのだ。健康維持の目標ポイントを獲得できなかった場合，年500ドルの減給と毎月の罰金が科されることになっていた。結局，教師たちは交渉によって昇給を確保し，身体監視の計画も廃止に追い込んだ。

AIシステムによって（映画『ターミネーター』のように）超知性をもつ，新種族が生み出されるという一部の技術者の懸念も否定すべきではないが，今日最も差し迫った問題は，SF映画の物語とは隔絶している。私たちが発明しようとしているデジタルな未来は，今日の世界の差別を反映し，常態化させ，促進させる可能性が高い。火星のスペースコロニーも，スーパーロボットと戦うことも，これらの問題とはあまり関係がない。より公正な未来を確実にするためには，私たちは目の前にあるもの，今ここにあるものに取り組まなければならない。

AIの世界のなかにいる人たちは，その危険性についてどう考えているのだろうか。そして，AIのあるバランスのとれた公正な世界がどのようなものだと想像しているのだろうか。私は最近この質問をパートナーシップ・オン・AI（PAI）の事務局長テラ・ライオンズに投げかけた。PAIは，コンサルティンググループのマッキンゼーをはじめ，著名なテクノロジー企業（アマゾン，アップル，グーグル，フェイスブックなど），アメリカ自由人権協会（ACLU）や電子フロンティア財団など活動家・人権団体からも幅広い支持を得ている。PAIは，9カ国，3大陸にまたがる70以上の組織を集め，AIについて一般の人々に教育し，社会的利益のために設計されたAIプロジェクトを育成する努力をしている。

PAIの存在は，ハイテクの世界では画期的なことであり，そのメンバーの広範さはよい兆候といえる。しかし，この組織を率いることは簡単ではないし，ポジティブな変化が必然的に起こるということでもない，とライオンズは言う。諮問機関であるPAIの結論や政策提案は，AIを追究するハイテク企業に実行されない可能性があるからだ。そのため，メンバーであるかどうかを問わず，提言を採用させるために企業を説得することが最も重要なのだ。

とはいえライオンズは楽観的だ。テクノロジー産業のなかには，社会全体に利益をもたらす意思決定を行おうとする「知性と善意」をもつ人々がいるというのだ。彼らは企業内でシステムの設計，監査，規制の方法に影響を与える重要な地位にあるため，決定的な意味をもつという。

PAIの理事会メンバーであるアマゾンとACLUは，ハイテク業界が共通基盤に訴えるアプローチをとれることを示す立場にある。アマゾンは，顔認識技術を通じて，アメリカ移民税関執行局（ICE）による移民の追跡，拘留，強制送還を支援してきた。たとえば，第4章では，警察と刑事司法システムのために設計されたコンパスとプレッドポルが，有色人種の人々に関してミスを犯しがちであると述べた。ICEの場合，リスクはラテン系の人々にも及んでおり，書類が整っていないというだけで退去強制命令の対象に該当していると誤認されて国外退去させられる可能性がある。非営利の移民権利擁護団体であるミジェンテによると，「強制送還マシンの構築に膨大なシェアを占めていることについてアマゾンの責任を追及し，それをやめるように要求するときが来た。それは簡単なことではないだろう。アマゾンはこれらの契約から数十億ドルを稼いでいる」。アマゾンの顔認識システムは現在，警察や軍の請負業者に販売されている。テクノロジーの仕組みを透明化するため，ACLUは公文書の公開請求に拍車をかけている。PAIの理事会メンバーであるこの二つの企業が，この機会に率直でオ

---

*健康管理のためのウェアラブルデバイス。

ープンな対話を行うことができるかどうか，また，アマゾンのビジネス上の選択が非人間的ではないかという懸念を考慮したシステムがつくられるかどうか，という点には疑問が残る。

今のところ，答えよりも疑問のほうが多い。私たちはまずこれらの疑問に対処すべきだ。AIシステムがどのように運営され，規制され，設計され，ユーザーに理解されるかについてわからないまま，広くリリースすべきではない。民間企業が所有するAIシステムに権力と正統性を与えるような取り組みを急ぐべきではない。すでに議論されていることだが，そうしないとロボットシステムを法的な人格として扱うような事態を招きかねない。いつの日かロボットに選挙権や言論の自由を認める社会になるのだろうか。

善玉のグーグル，悪玉，卑劣漢*

本書のなかで私が何度も取り上げた企業のなかで，グーグルはほかより積極的に話をしてくれた。検索エンジンのパイオニアであるグーグルの存在感は大きい。世界で最も訪問者数の多いウェブサイトをつくり，多くのアプリケーションやサービスを開発してきた。

私は，グーグルについて（これまで）深い懸念をもって書いてきた。少なくとも三つの理由がある。第一に，グーグルはどのような個人データを収集しているのかを秘密にしており，ほかのほとんどのインターネット企業と同様に，そのプライバシーポリシーは読む気にならない。第二に，グーグルはすでに独占状態を確立しつつあり，ワシントンDCにおける最大のロビイストでもある。グーグルは，殺傷能力のあるドローン・メイブンのプロジェクトで，合法性に懸念があるにもかかわらず米軍を密かに支援していた。グーグルはまた，ニューアメリカ財団の著名な独占禁止法研究者，バリー・リンの解雇にも関与していたかもしれない。第三に，グーグルは検索結果やサジェストを操作して投票行動に影響を与えられる。これらは左翼だけがもつ懸念だと思われるかもしれないが，実際には，情報がどのように私たちを見つけるか（そして私たちが情報をどのように見つけるか）についての懸念は党派を超えたものである。

しかし，同時にグーグルは透明性と知識共有へのアプローチにおいて，ほかの巨大ハイテク企業とは一線を画している。グーグルはオープンソースのソフトウェア・コードを大量に公開しているだけでなく，テンソルフローというライブラリを通じて機械学習アプリケーションに関連するオープンソース・コードを共有する仕組みをつくり出した。テンソルフローはオンラインで入手可能な同種のものでは最も人気がある。さらに，グーグルは誰でもオンラインで閲覧できる講演会を主催している。科学者，政治家，芸術家，学者，禅の導師，活動家などがこのプラットフォームを利用して，自分たちの知識を無料で世界と共有している。これらによって，ハイテク分野でほかの追随を許さずほとんど規制もされないグーグルの力が中和されているのだろうか？

私はグーグルに直接聞いてみることにした。連絡をとったところ，プロダクト・インクルージョンの責任者であるリーナ・ジャナにインタビューできることになり，質問に答えてくれる理想的な人物を見つけたと思えた。南アジア系の有色人種の女性であるジャナは，ジャーナリスト，編集者，作家として長年働いてきた。その経験は，グーグルの従業員，ユーザー，サプライヤーの多様性を高める取り組みを監督するという現在の役割に役立っている。

---

*原文 The Google, the Bad, and the Ugly は，映画『続・夕陽のガンマン』の英語原題 The Good, the Bad and the Ugly のもじり。

私たちの会話の中心となったのは，グーグルの意図と，ユーザーや世界に対する責任を問うことだった。私が驚いたのは，社会正義の提唱者であり，「平等な司法イニシアティブ」の創設者でもあるブライアン・スティーブンソンにジャナが強く影響を受けているという事実だった。2012年のTED講演が600万回近く視聴されているスティーブンソンが人生を捧げるのは，アメリカの刑務所産業における不正との闘いだ。そこには，世界のほかの先進国の人の数を合計したよりも多い人数（不自然に黒人とヒスパニックが多い）が収容されている。「平等な司法イニシアティブ」は，金銭的余裕のない人や，刑務所で虐待を受けた人，特に子供や精神障害者，死刑囚に弁護士による支援を提供している。

ジャナは，グーグルの野望と意図について貴重な洞察を語った。ほかの多くの大手ハイテク企業とは異なり，グーグルは上級管理職に占める女性の割合が高い（45％近く）。グーグルのツールは，アメリカをはじめ世界中の中小企業の成長を推進してきた。そして，Gメール，グーグルマップ，検索，グーグルドライブなどのサービスは，多くの言語で動作するようになっている。グーグルマップは現在，世界人口70億人のうち12億5000万人が話す40以上の言語で利用できる。これは世界人口全体の20％にも満たず，多様性が脅かされている世界の言語数の0.5％に過ぎないが，より多様な人々に向けてサービスを拡大し，カスタマイズしようとする試みを反映している。

ほかの多国籍企業と同様に，グーグルは現在，少なくとも世界50カ国で事業を展開している。ジャナは，この世界的な拡大によって，各国のユーザーの懸念や制約に合わせたサービスを開発できるようになったと説明している。グーグルは，自らをAI企業と呼ぶようになることで，機械学習とインテリジェントシステムが中心的な強調ポイントになることを示唆している。公平性のために自社のAI原則と実践を公表し，最新の研究プロジェクトを共有するAIブログを運営することで，その認識を強化しようともしている。グーグルは，より一層多様化するユーザーを包含するデータセットを使用して，AIシステムを訓練することに重きを置いていると主張する。だが，これらのシステムが「マイノリティ」ユーザーのために（あるいは彼らから学習するために）具体的にどのように設計されるのかはまだわからない。グーグルが固定観念や物理的な制約（貧弱で信頼性の低いインフラなど）を克服したいと考えているのであれば，同社はもっと深く掘り下げていく必要があり，もしかしたら設計プロセスに対する権限と制御を放棄しなくてはならないだろう。所有権とコミュニティの役割に関する信念体系，価値観，手順は，コミュニティの知識システム（または概念体系）を構成するものとして非常に重要だが，テクノロジーへの「アクセス」に関するプロジェクトではほとんど考慮されていない。

グーグルの「次の10億ユーザー」（NBU）チームは，さまざまな場所や社会の制約や現実を認識しながら，その活動を拡大しようと試みる。NBUはインド，メキシコ，ナイジェリア，インドネシアの駅で無料のWi-Fiを提供している。ファイルズ・ゴー（2018年にファイルズ・バイ・グーグルに改称）という製品は，ユーザーが携帯電話の空き容量を解放し，オフラインでファイルを共有することができるものだ。ユーザーがノートパソコンやデスクトップを購入できず，代わりに主に携帯電話を介してインターネットにアクセスする国で使用するためにつくられた。ファイルズのサービスは，人々が実際にどのように携帯電話を使用しているかに関するチームの観察結果と，人々が何を必要としているかについての経験に基づいた推測を組み合わせてカスタマイズされている。

このようなさまざまな取り組みを説明してくれたジャナの視点は，知的で爽やかなものだった。彼女は，シリコンバレーの欠点を認め，アメリカや世界の多様性を代表できていないことを認めていた。彼女は，グーグルを含む技術システムに蔓延している人種，ジェンダー，階級に関するバイアスについて率直に話してくれた。テクノロジーは確かに偏っている，と彼女は認めた。その創造者たちが世界にある不平等を反映しているからだ。ただ，彼女は，「これらのバイアスは何世紀にも何千年にもわたって世界に存在している」と言うことで自分の発言を修飾した。「（グーグルにいる）私たちは革新的でなければならず，私たちのアルゴリズムの周りに機会の平等をつくり出すためのさまざまな方法を実験している」。

公平性とインクルージョンの向上という約束が本当に実現するかどうかはわからない。エンジニアと自社システムのユーザーの間の断絶が現実にあることを認めることで，グーグルは心強い第一歩を踏み出した。しかし，グーグルがシステムの内部の仕組みを私たちから隠し続けるなら，彼らが公平性とインクルージョンを重視していることを本当に信頼できるだろうか？　一つの選択肢は，ただ待って様子を見ることだ。よりよい方法としては，透明性と説明責任を確保するために今から手を打ち，デジタル世界が将来的に私たち全員に奉仕するようなものになることである。

8万8000人以上の従業員を擁するグーグルでは，権威主義的な視点に出くわしても不思議ではない。多くの人々や報道機関から「気味が悪い」「ディストピア的だ」と評された「利己的な台帳」という動画のなかの憂慮すべき見解を見てみよう。この動画は，グーグルがデジタルサービスを通じてユーザーの個人データを収集し，そのデータを「台帳」という仮想の帳簿に保存する未来を描いている。そしてAIがユーザーに関するグーグルの知識にどのような欠落があるかを判断し，ユーザーが魅力的だと思ってくれそうなほかのデータ収集製品を提案することでその欠落を埋めるのだという。しかし本当の目的は，不足しているデータをユーザー自らが銀の皿に載せて台帳へと提供するように仕向けることだ（たとえば，AIが体重計を提案して，体重や体格指数を追跡するだけでなく，Bluetoothでユーザーのフィットネスアプリに接続し,「台帳」にアクセスできるようにさせられる)。グーグルは「利己的な台帳」は内部向けだったと言っているが,この動画は2018年に報道機関にリークされた。

このプロジェクトを推進する構想はニック・フォスターのものだった。フォスターは次のように語ってくれた。「ユーザーデータを何世代にわたるものとして考えることで,新たなユーザーが先行世代の行動や意思決定から利益を得ることが可能になる」。フォスターは,人間の行動のデータベースからデータマイニングしてパターンを探し,人間のゲノムのようにそれを「配列化」し,「意思決定や将来の行動について,ますます正確な予測を行う」ことを想定している。グーグルは,この台帳は「現在または将来の製品に関連する」青写真ではなく,単なる思考実験や「問題提起的なデザイン」に過ぎないと断言している。それにもかかわらず,「利己的な台帳」は,グーグルが自分自身と数十億人のユーザーのために展開する道の次のステップになりうる。

この動画が示すのは,ユーザーである人間に奉仕するものとしてデータを見ることから,ユーザーをテクノロジーに奉仕するための資源として見ることへの転換だ。この視点から見ると,今日の人間は,保管者である。私たち自身の個人データの個人的な所有者ではなく,情報の単なるキャリアだ。

「利己的台帳」の動画は,そのようなデータが収集されるべきか,どのように分析されるべきか,誰がそれにアクセスできるか,どのように規制や監査が行われるか,あるいは個人的に所有されるべきかどうかといった,倫理的な難問を探ろうとすることにはまったく興味を示さない。この恐るべき,だが現実味を増しつつあるシナリオでは,プライバシーや自己決定の余地はなく,企業の機械がすべてを支配するのだ。

私は,この未来主義者のマニフェストたる動画や,第5章で取り上げた,女性が有能なエンジニアになる能力を疑問視し多様性に反対した文書がグーグルの主流の見解ではないことを認識している。それにもかかわらず，私たちの生活のすべてに組み込まれている民間企業のなかにこのような急進的な視点が存在するという事実は，重大な意味をもっている。

だからこそ，これらの問題を解決する責任を，そもそも問題を生み出すうえで大きな役割を果たした企業に負わせるのでは，単純に不十分なのだ。エリートたちには，自らが利益を得てきた階層社会の構造の問題を解決することは期待できない。ただ，私たちすべてを包摂するようにシステム全体を変革するプロセスの一部になることはできる。

アマゾンで起きた生活賃金を求める集会

今日，人々は巨大ハイテク企業に対し大きな力で押し返すことができる。長年にわたる進歩的なアメリカの政治家であり，2020年の大統領選挙の候補者でもあるバーニー・サンダースは，2018年半ばにアマゾンとそのCEOであるジェフ・ベゾスを相手取ることを決めた。サンダースは同社が労働者に生活賃金を支払っていないと批判し，史上最も裕福な人物が経営する企業に改善を要求した。「10数えてみろ」と2018年8月にサンダースはツイートした。「その10秒の間に，アマゾンのオーナーであり創業者であるジェフ・ベゾスは，アマゾン従業員の年間所得の中央値よりも多くのお金を稼ぐ」。実際，年間平均2万8000ドルを稼ぐアマゾンの従業員のなかには，生きていくためだけにフードスタンプやメディケイド，補助金つきの住宅を利用せざるを得ない人もいるという。一方ベゾスは1日約2億7500万ドルを稼いでいるのだ。

意外にも，この運動が功を奏した。サンダースたちが主導した集会や従業員の抗議行動により，アマゾンは2018年10月，労働者に時給15ドルを保障することを余儀なくされた。しかし，生活賃金に関しては，この成功がすべてではないことに注意しなければならない。この時給では，平均的なアメリカ人は，ベッドルーム一つの質素なアパートの家賃を支払うこともできない。現在の全国最低賃金（7.25ドル）では，2.5人分のフルタイムの仕事をしなければ，国内のほとんどの地域で同様のアパートを借りることができないのだ。

さらに，アマゾンの賃金変更は，これらの従業員が自動化によって仕事を失う可能性や，労働法が存在せず，賃金や労働条件がはるかに悪い国にアメリカの労働者の仕事が外注される可能性を考慮していない。また，アマゾンが昨年上げた112億ドルの利益に対して税金を払っていないという驚きの事実も放置されている。アマゾンでの賃上げ闘争は，グローバル化した不平等や私が自動化について提起した懸念に対処するものではないかもしれないが，変化が起こりうることを示している。そしてそれは，小さな勝利がより大きな勝利につながる可能性があるという希望を抱かせる。労働者の仕事が保障されたり，将来の新しい仕事が創造され，仕事を失う人々に与えられるようになるかもしれない。

このような運動は，労働者，消費者，ユーザーとして，私たち全員が力をもつことを示すという点で，注目すべき重要なことである。また，政治家，企業，設計者，活動家，ジャーナリスト，公益団体などにも訴え，公正性，公平性，多様性を擁護していくことができるのだ。

第25章　教育と未来を守ること

医師とエンジニアは似ているだろうか？　ナターシャ・シンガーは2018年の『ニューヨーク・タイムズ（*The New York Times*）』紙の記事で，この二つの職業を比較した。「医療職には倫理がある。まず，害を与えないこと。しかし，シリコンバレーのエートスは対照的だ。最初に構築し，あとで赦しを請う」。彼女の記事「ハイテク倫理のダークサイド」は，MIT，ハーバード，スタンフォード，ニューヨーク大学（NYU）などのアメリカのトップ工学系大学が，今，いかにして「医学のようなモラル」をコンピュータサイエンスにもち込もうとしているかに焦点を当てている。シンガーは，全国の大学で，社会的，政治的，文化的な問題を工学やデザインと関連づけて議論する授業が設置されていることを紹介している。彼女の主張は，テクノロジーに対する新しい「人間中心」のアプローチは，私たちが学校や大学で学び始めることができ，また始めるべきだということだ。

これに基づいて，テクノロジーと地球との関係を考える時期に来ているといえるだろう。私たちが使っている多くのデバイスの「予定された」使用可能期間が，それが地球上にとどまる時間に比べればごくわずかな時間でしかないことを考えればだ。たとえば，私たちが通常数年しか使わないiPhoneは，新しいものを購入して下取りに出せば視界から消えてしまうが，現実にはそれは，デバイスが地球上で送る生活の序章に過ぎないのかもしれない。埋め立て地に移動して環境に害を及ぼすかもしれない。あるいは，私たちの都市や国，世界の別の場所に移動し，修理されて，アップルに信じられないほどの富をもたらしてきた「計画的陳腐化」という企業方針に賛同するだけの資源をもたない人々に分配されるかもしれない。だからこそ，誰にでも「修理する権利」を与える立法は，今，世界各地で議論されている重要なテーマなのである。

しかし，現在のアメリカでは，この権利は存在しない。リサイクルにこだわるロサンゼルスの起業家，エリック・ラングレンについて考えてみよう。『ロサンゼルス・タイムズ（*Los Angeles Times*）』紙の報道によると，彼はリサイクルされた部品を利用して，テスラよりも航続距離の長い電気自動車をつくった。また，電子機器のリサイクル施設をつくり，年間1万8000トンの電子廃棄物を処理している。彼のクライアントには，IBM，モトローラ，スプリントなどがある。彼は，ガーナや中国で蓄積された電子廃棄物の処分のために社会貢献活動を行い，海外に派遣されている米兵にリサイクル携帯電話を寄付している。

ラングレンは無私の精神と市民活動の象徴的な人物とみなせるだろう。しかし彼はリサイクル活動のために，犯罪者とされ，刑務所に入ることになる。ラングレンは社会と世界を助けるヒーローだ。使い捨てにされる電子機器の環境への悪影響を軽減しながら，雇用を提供する持続可能なビジネスを生み出したのだから。彼は，デジタルデバイスの中古品売買産業に貢献しながら，より手頃な価格のコンピュータを人々に届けられると考えていた。しかし，地域社会のための善行は，ハイテク企業のビジネス上の利益と衝突することもある。ラングレンは，マイクロソフトという強大な相手を敵に回すことになった。なぜマイクロソフトは彼を報復の対象にしたのか？　それは回収したパソコンに同社のウィンドウズをインストールしなければならないからだ。彼がリサイクルしたガラクタをユーザーが実用的に使えるものにするためだった。マイクロソフトと政府は協力して，ラングレンに15カ月の拘禁刑を科した。この事件を担当した連邦検事補は，彼に「マイクロソフトはあなたの首を皿に載せて欲しがっている。私はそれを彼らに渡すつもりだ」と明言した。

ラングレンは，リサイクル，リデュース，リユースという資源循環の倫理によって，公共の利益に貢献する模範として称賛されるべきである。彼の物語は，アフリカの例と類似している。そこでは贅沢品ではなく，修理とリサイクルが必要なのだ。ラングレンのような起業家は，コンピュータや携帯電話のメーカーを大もうけさせてきた「壊れるようにつくる」ビジネスモデルを，人々を雇用し，環境を保護し，中古品市場で消費者に選択肢を提供する別の種類のビジネスに変えることができる。そしてそれは現在の消費者市場では，新しいテクノロジーを求める市場と競合するのではなく，補完的なものになる可能性が高い。

修理は，従来の工学やコンピュータサイエンスの教育では見過ごされてきた多くの社会・環境のテーマの一つに過ぎない。学校や大学は，包摂的で，持続可能で，協働的なデジタルの未来のために学生を教育したいのであれば，カリキュラムを開放し，新しいテーマや学習科目を取り入れて改定する必要があるだろう。もう一つの不幸な慣行は，ほとんどの教育システムで科学や工学の分野が人文学や社会科学とは別のものとして扱われていることだ。このため，プログラムのコードライティングやソフトウェアデザインを教えるコースで，ソフトウェアが実際に利用される場所について理解させる教材が使われることはほとんどない。

文化的または社会的なテーマが工学と一緒に教えられるようになれば，

自分が設計したシステムで変革されていく世界についてより深く考えることができるエンジニアが現れるのではないだろうか。テクノロジーが革新され，展開されていくなかで，技術の領域と倫理の領域を横断することができる人材に向けて，新たな雇用が創出される可能性がある。アメリカでは，さまざまな新たな提案や取り組みが行われているが，このプロセスは始まったばかりだ。権威あるアメリカ計算機学会は倫理規定を発表したが，それが世界中でどのように解釈され，教えられるかはまだわからない。ただ，世界の数十の大学で教えられているコンピュータサイエンスの倫理学の授業の新たなリストが公開され，そこには「シリコンバレーにおける人種とジェンダー」「ビデオゲームにおける倫理」などの新しい授業のタイトルが含まれている。

現在の教育は，就職市場に参入して働くための準備と位置づけられている。しかし，それはまた，創造的で，反省的で思慮深い人間になるための準備という役割もあるはずだ。反省や批判を軽んじる教育は，人を道具として扱い，社会的，倫理的，創造的なニーズをもつ人間として扱うものではない。科学と芸術を融合させたり，工学と社会科学を組み合わせたりするように，学校で異なる分野を一緒にすることは，将来の仕事に備えるだけでなく，人間としての私たちを倫理的にも知的にも豊かにすることになる。科学（science），テクノロジー（technology），工学（engineering），数学（mathematics）のSTEM教育は，それ自体として自立している必要はない。科学や技術を，物事が「どうあるか」だけを研究するものと捉え，「現にあるがまま」の学問と考えるのは非現実的だ。これらの分野も哲学，倫理学，人間行動，政治，芸術から深く影響を受けるからだ。

モジラ財団の会長であるミッチェル・ベーカーは最近，次のような懸念を述べている。「私たちが意図的に育てようとしている次世代の技術者たちは，STEMと社会や人間，生活との関係を考えるための枠組みや教育，語彙(ごい)すらもっていない」。数十億人にも及ぶユーザーが，独り善がりにテクノロジーの指示に盲従するようになり，「これは誰のためにあるのか」「どうすればこの技術的知識を別の方法で応用できるのか」といった根本的な問いを投げかける能力を私たちが失っていると,彼女は警告している。

設計についてはどうだろうか。設計は，見た目をよくしたり，「使える」ようにしたりする方法としか考えられていない。このような限定された視点から見ると設計者にすべての力があり，私たちには何の力もないことになる。しかし，この考え方が設計や工学について唯一のものであるわけではない。流布しがちな「ひとりぼっちの天才」神話にもかかわらず,偉大な科学者(ニュートンのような)や信じられないような発想をする芸術家・エンジニア(レオナルド・ダ・ヴィンチのような)は，誰もいない真空中で仕事をしていたわけではない。彼らの技術的・芸術的な専門性は，その時代の社会的背景に反応して(形づくられて)発展してきた。設計もまた,想像と思索のプロセスだ。たとえば，ユーザーの自律性をサポートすることが設計の原則となればどうだろうか？

プロセスとしての設計，コミュニケーションとしての設計，さらには謙虚さとしての設計など，これらの価値観は，私たちが未来に向けてテクノロジーをどのように構築するかの指針となるだろう。法学者であり，よく知られた著述家でもあるティム・ウーは，最も人気のあるインターネットテクノロジーやソーシャルメディアサイト(特にフェイスブック)を描写するのに，最近「トキシック・デザイン」(有毒な設計)という言葉を使っている。トキシック・デザインは不健康な行動を促し，人間としての最善の利益に反する行動をとらせようとする。私たちの弱点を突いて本能的な自己に働きかけ,罰と報酬という二つの力に従わせるのだ。これらの力は,私たちの体のなかで常に働いており，正常な中枢神経系の働き方に由来する。人間が注意を払ったり，反応したりするのを助けるドーパミン，アドレナリンなどの神経伝達物質の分泌は乗っ取ることができる。トキシック・デザイン（およびトキシック・テクノロジー）も同じように機能する。

オンライン上の「おすすめ」システムはこの問題の明白な例だ。それは私たちの注目を維持するために極端なコンテンツに私たちをさらしたり，あるいはSNS上で肯定されることの中毒性を高め，より多くの「いいね！」やコメント，シェアを求めてインスタグラムやフェイスブックに強迫的にログインするように私たちを訓練したりする。それは，高速道路で起きた交通事故の野次馬や，ジャンクフードの暴飲暴食と異なるものではない。どちらの行為でもドーパミンが放出されるのは，脳が危険や食べ物に関連した情報は生存に重要だと考えているからだ。しかし長期的には，そのような強迫観念や娯楽，中毒は私たちに害を及ぼす可能性がある。

よい設計は人々に力を与える源でもあり，すべての人に価値を提供する方法でもある。ウーが主張するのは，オンラインでの経験をいつまでたっても不完全に感じさせ，フェイスブックのフィードをスクロールしたり，YouTubeで自動的に推薦された「次の動画」をクリックしたりするときに，「あと一回だけ」チェックしたいという無限の欲求を駆り立てる「偽のループ」から私たちは逃れるべきだということだ。一方でグーグルは，インターネット上で私たちが行くところすべてに現れる。ターゲティング広告を介して私たちをおびき寄せ，新しいグーグルの製品やサービスにログインさせようとするのだ。その代わりに，ウーは問いかける。「ソーシャルメディアにあるものをチェックして，それで終わりというふうにはいかないのか」。

設計の倫理と関連しているのは，デジタルリテラシーの可能性だ。この言葉は，「既存のテクノロジーの使い方を誰もが知っているようにする」というような，自明の意味をもつもののように思われるかもしれない。実際には，それよりもはるかに繊細で重要だ。リテラシーという言葉は伝統的な定義では，単に読み書きするだけではなく，考察し，分析し，創造する能力のことだ。新聞や雑誌の記事や本，さらには架空の物語を取り上げて，その背景に何があるのかを考えることだ。つまり，誰が書いたのか，どういう前提があるのか，書いた人はどのような世界に属していたのか，同様のテーマについてほかの情報はあるのか，といったことを考察することなのだ。もし子供たちが本に書いてある言葉を発音できても，登場人物が何を何のためにしているのかを理解していないならば，「読書」をしているとはいえない。なぜその話をしたのか，その話にはどんな文化的な重要性があるのかといった物語の意味を理解できるなら，さらによいだろう。

一方デジタルリテラシーはどうか。それは，テクノロジーをどのように使い，どのように考察するかという視点であるべきだ。しかし私たちは，目にしたものについて批判的に熟考するのではなく，与えられた情報をあまりに簡単に妄信してしまう。たとえば，グーグルの検索結果が中立的で信頼でき，「知る必要のあるすべての情報」であると考えることは，デジタル情報の波に乗り遅れないための当たり前の戦略となってしまっている。

これは二つの絡み合った理由で大きな問題となっている。一つ目は，私たちの携帯電話やソーシャルメディアのフィード，検索結果に表示された情報が普遍的な真実を反映しているわけではないからだ。二つ目は，与えられた情報は，私たちではなく民間企業の利益のためのコンピュータの選択に基づいているからだ。言い換えれば，グーグルが過失により間違った検索結果を返してくるかもしれないということではなく，提供している企業の意図に合致した情報がもたらされるということだ。真実の価値や社会的価値，私たちの個人的な選好が攻撃されているのではなく，単にそれらがあまり重要とされていないのだ。インターネットの本来あるべき姿であった「情報の開かれた宇宙」に関する私たちの経験は，アルゴリズムのゴーグルで曇らされる。インターネット上の無限に近い可能性は，真実や知識を装った結果でフィルタリングされてしまっているのだ。

高校や大学では，デジタルリテラシーの基礎的知識を教えることが重要になってくるだろう。さまざまなプラットフォームがどのように構築されているのか，コードにまでは触れなくてもコンピュータの動作の基本的な概念を学び，システムを使うときに裏で何が起きているのか（あるいは起きていないのか）を想像できるようにするなどの内容だ。デジタルリテラシーは入り口に過ぎない。テクノロジーが私たちの最善の利益に奉仕するようにするためにはほかのリテラシーも理解しなければならない。この入り口をくぐってから，アルゴリズムリテラシー（AIシステム内のバイアスや検索エンジンシステムの仕組みを理解する），データリテラシー（いつ，どこで，どのようにデータが収集され，誰によって，どのように集計され，保持され，どのような効果があるか），政治的・経済的リテラシー（どのテクノロジーを誰が保有しているのか，どの産業がどのような方法でテクノロジーによって形づくられているのか，テクノロジーが公共・政治的生活をどのように形づくっているのか，企業と公共・政治的利益の関係性など）を身につけることができるのだ。

経済保障と私たちの選択肢

人々の経済保障について考えてみよう。現代の世界は極端に不平等な状況にある。最近の推計では，世界で最も裕福な8人が，人口の下位半分（約37億人）と同等の富をもっていると推定されている。私たちが今日目にしている金と権力の深刻な偏りに，私たちのデジタル経済が対抗すべきときだ。本書の第3部では，いくつかの代替的な取り組みについて論じた。普遍的ベーシックインカム（UBI），ユーザーデータに対するマイクロペイメント，ポータブルな社会福祉給付，労働者のスキル再教育，協同組合，そして新しい形態の団体交渉（これは，世界各地でさまざまな形態で長く存在してきたギルドや労働者評議会の例に倣ったものだ）である。

私たちは，これらの選択肢について真剣に考えるべきだ。現在の道を進めば大規模な失業と不完全雇用，階層化の拡大につながる可能性が高いことを，ハイテク産業の大物や政治家たちに納得させなければならない。このままでは，仕事を見つけることができた人でさえも安心できない。一生懸命働いてもこれまで以上に稼げなくなり，労働者の多くは，住居，健康，食費などの基本的なコストを支払うのにも苦労するようになるだろう。

そういった思いやり，つまり「私たち全員で問題を解決する」というエートスをテクノロジー産業がもつようになれば，格差を埋め，新たな雇用を生み出せるだろう。第3章で，AIの機械学習技術で犯罪報告書のデータを処理するプレッドポル（予測的ポリシング）という問題のあるプロジェクトについて述べた。AIは，使用された凶器や犯行場所，容疑者の数などの事実を集めて，犯罪が「ギャング関連」に分類されるかどうかを判断する。広範な批判に直面してプレッドポルのエンジニアたちが示した露骨な反応にも言及した。たとえばハーバード大学に拠点を置くコンピュータ科学者ハウ・チャンは，人工知能・倫理・社会カンファレンスでプレッドポルの研究を発表した。批判の嵐に遭遇した彼は，「私はただのエンジニアだ」と答えたのだ。『サイエンス（*Science*）』誌によると，聴衆のなかにいたグーグルのソフトウェアエンジニア，ブラック・レモインは，「ロケットが打ち上げられたら，どこに降りてくるかなんて誰も気にしないということか」と発言して会場を飛び出したという。

レモインがエンジニアの説明責任について批判するのはよく理解できる。しかし，チャンは非難されるべきなのだろうか。エンジニアは，倫理的なトレーニングを受けたり，批判的な社会科学に触れたりすることはほとんどなく，作成したシステムの下流で起きる予期し難い影響に対して責任を負うこともあまりない。彼らの関心は，最適化，デバッグ，設計，創造に集中しているし，これまでもそれが常だった。

しかし，現状を危機ではなく機会と捉えることもできる。社会に配慮した尊厳のある仕事をする人材を育成して雇用することができる，開かれたスペースがデジタル経済にあると見るのだ。教育システムを変革して，既存のエンジニアたちがこれらのギャップを埋められるように，専門的なトレーニングを導入する機会と捉えるのだ。プレッドポルのような事例をただ批判するのではなく，そこから学ばなければならない。このようなシステムを構築すべきかどうかについて，エンジニアを中心に率直で包摂的な対話を行うことが重要だ。そのような対話によって，プレッドポルをはじめとするAIアプリケーションのような倫理感の当落線上にあるプロジェクトを評価・追跡・監督するようなまったく新しい一連の仕事をつくり出し，公正な賃金を払うようにすることもできる。倫理的翻訳，政治的翻訳，文化的翻訳——これらの来るべき仕事は，社会の心と精神を未来のデジタル経済と結びつけられるのだ。

EUのGDPRは，その規定を充足するためだけで新たに7万5000人もの雇用を生み出す可能性があるし，それらは人間によって担われなければならないことを考えよう。ライジング・フレームズというプロジェクトは，マイノリティやリスクの高い人々を支援し，オンラインでの発信を分析したり，バイアスを正すために彼らの声を共有したりしている。自動化やアルゴリズムによって作成された情報が適切で正確であると保証することは，世界中の人々が雇われて担うことができる任務だ。データがこれまで以上に粒度が高く，ローカルで，超具体的になるなかで，このような仕事の必要性は高まるだろう。

CNNのコメンテーターで，オバマ政権で「グリーンジョブ（環境関連職）の帝王」と呼ばれたヴァン・ジョーンズと，グーグル・クラウドのAI

責任者である李飛飛（リー・フェイフェイ）の協力のおかげで，AIと機械学習が形成する経済で出現する可能性のある若者や都市の貧困地区向けの職業がどのようなものかを考察する会話が実現した。ジョーンズと李は女子高生向けのAIサマーキャンプを始めたことがきっかけでAI4ALLという組織を立ち上げ，女性やマイノリティの労働者階級の子供たちの雇用促進や職業訓練を中心に活動している。

ジョーンズはこれまでにもこのような分野をリードしてきた。彼はグリーンジョブを提唱し，十分なサービスを受けていない若者の教育と雇用のために闘ってきただけでなく，都市の貧困地区のためにコーディングとデジタルリテラシーを民主化することの重要性を長年強調してきた。彼は次のように指摘する。「人工知能から意図しない影響が生じることになるだろう。しかし，意図しない影響と，無知や悪意に基づく影響，あるいは単に配慮が足りないことに基づく影響は，まったく別のものだ」。

つまり，AIと自動化が多くの既存職業を消滅させる可能性はあるが，同時にかなりの数の新しい職業を提供する可能性も秘めているということだ。しかし，私たちはこの未来に向けて慎重に動くべきである。それはAIや自動化によって生まれる仕事が，すべてよい仕事だとは限らないからだ。新しいテクノロジーやそれを生み出す企業が私たちに奉仕するようにし，民間部門が，直接影響を与える公共に対して説明責任を果たすことを要求しなければならない。

失業率が低いということは，経済的な幸福度を示すとは限らない。なぜなら，たとえ職に就いていても，長時間一生懸命働いても賃金が以前と同じかそれ以下であるという場合があるからだ。報酬が低く，創造的でなく，あるいはトラウマになるような仕事であれば，人々に仕事を与えることが有益であるという考えも，同様に間違ったものとなる。たとえば，プラットフォームのユーザーに届く前に，不快なコンテンツや禁止されたコンテンツを取り除くモデレーターの仕事を考えてほしい。あるいは，世界中でブームとなっているが，実際に設置されているのはアジアとアフリカが中心のコールセンターについても考えてみよう。これらのセンターでは，労働者は欧米の顧客の平日の営業時間に合わせて働く必要があるが，その一方で欧米の労働者よりもはるかに低い賃金しか得ていない。将来の職業について考える際には，これらの仕事がどれだけ心理的・社会的トラウマを伴うかを受け止めなければならない。

第14章と第15章で述べた，ポータブルな社会福祉給付，労働者評議会，普遍的ベーシックインカム（UBI）などの経済的安定を保障する政策を，心を開いて批判的な目で見るべきときが来たのだ。UBIを考えてみよう。UBIは多くの注目を集めており，私はその支持者の一部に特に配慮した。しかし，過去30年間の代表的なテクノロジーライターの一人であるダグラス・ラシュコフは，UBIを「ブービー賞」「シリコンバレーの最新の詐欺」と呼んでいる。UBIは，私たちではなく，ハイテク界の大物たちの利益を支えるための方法だというのだ。なぜだろうか？　それは第一にUBIは，生活賃金を払わない口実となる。そのためもう一段階UBIが必要になってしまう。なぜなら，ハイテク企業やその他の「1％の人々」は，私たちからあまりに多くの富を引き出しているからだ。第二に，UBIは消費者が無価値になってしまうことを防ぐという点でも大企業の利益を支える。ラシュコフは，UBIによって「価値を創造したり交換したりする能力が私たちから剝奪される。あらゆる消費行為は，それを通じて企業経営者たちに力を移譲し続けることになり，最終的には彼らが文字通り支配者となる」と述べている。ぞっとするような未来像だ。真剣に受け止める価値がある。

別の選択肢として，最初からユーザーに力を与える提案を考えてみてはどうだろうか。ラシュコフはUBIを，欠陥システムが血を噴き出しているところで，その傷に対して包帯を巻こうとするだけの試みだと見ている。

私たちの権利が一層奪われていくだけだというのだ。代わりに，デンマークで実験的に行われている普遍的基本資産のようなアプローチについて考えるべきだという。このプログラムでは，貧しく生まれた人々が，共有された公共資源へのより大きなアクセスを提供されることになる。

分散化と主権

この本を通して，現在のインターネットに関連した権力の関係を変容させるストーリーを共有してきた。これらの話は，デジタルテクノロジーへのアクセスを提供する際に，シリコンバレーやおそらくは中国のハイテク企業さえも今日当たり前のように行っているようなトップダウンのパターンに従う必要はないことを思い出させてくれる。ブルックリンからデトロイト，カタルーニャまで，私たちはメッシュネットワークがゼロから構築され，成功した持続可能なものになるところを目の当たりにしてきた。それらは，あらゆるユーザーが自分たちの利益になり，陰で搾取されることのないような方法でテクノロジーを創造し，使用する可能性を示している。

データやお金を搾取されているコミュニティも，テクノロジーの展開を支配する力をもてば，仕事やスキルトレーニング，教育の機会について決定できるようになる。私は，メキシコ南部の雲霧林やジャングルに住む先住民でさえも，自ら携帯電話ネットワークを構築できることを示してきた。これらのコミュニティは，共同所有権のおかげで，プロジェクトで得たお金を家族や地域の組織を支援するために再分配できた。私はまた，ビジネスが包摂的な方法で成長しながら出発点となった場所への忠誠心と尊敬の念を維持できたケースも紹介した。街角で行われているビジネスから，グーグルが資金提供しているAIラボの視点まで，アフリカのさまざまな例を紹介した。特にブリックという組織はナイロビで生まれたが，今では世界中の人々が，何千マイルも離れた場所にいる裕福な経営者や投資家の都合に合わせるのではなく，自分たちの現実に合わせた方法で接続可能性について考える術となっている。

これらの例は分散化の強みを示しているが，完全な自律性や主権を示唆しているわけではない。これらのコミュニティはすべて，ほかの人との依存，つながり，関係性をもっている。重要なのは，意思決定権がコミュニティ自身の手にあることだ。それは標準的な，私たちの多くが押しつけられることに慣れてしまった理解不能のサービス規約とはかけ離れている。それは経済的，政治的な意思決定に関してだけでなく，文化的多様性の支持と尊重についても重要なことだ。何十億人ものユーザーをフラットにするデジタル世界へと進み，何千マイルも離れた場所で多様な性別，文化，階級，人種を代表しない技術者によってつくられたシステムに人々を適合させたなら，文化の均一化プログラムを推進することになるだろう。あらゆる形態の多様性が脅かされている世界では，最も脆弱な人々がさらなるリスクにさらされていることも忘れてはならない。たとえば，ユーザーに大きな力と声を与えるネットワークやシステムは，絶滅の危機にある先住民族の言語を，活力ある状態で存続させる機会を与えてくれる。

また，第23章では，ブロックチェーンと暗号通貨のテクノロジーを利用してエネルギーやお金のピアツーピアの交換をサポートする強力な方法についても述べた。このテクノロジーは，世界のさまざまな場所にいる個々のユーザーやコミュニティの意思決定をサポートし，彼らが適切だと思うように取引や交換ができる可能性を開く。今日，ブロックチェーン業界はまだ黎明（れいめい）期にある。金儲けをしようとする人々であふれかえっており，州や政府のセーフティネットを侵食したり，超リバタリアン的な空想を追求しようとしたりする人々もいる環境だ。しかし，繰り返しになるが，これらの例は，将来がどうなるかではなく，現在テクノロジーを構築し収益化している人たちが選んだ道筋を反映している。

また，マストドンのようなネットワークを使って，ソーシャルネットワークがどのように分散化されるかについても考えることができる。このオープンソースのプラットフォームはツイッターに似ているが，決定的に違うのは，ユーザーが自分のサーバー上に自分のルールに基づいて自分のコミュニティをつくることができるという点である。市民メディア学者で作家のイーサン・ザッカーマンによると，マストドンのサーバーに属する「メンバーは数百人から数万人までいろいろある。しかし，それらのサーバー間で「連合」し，情報を共有することができる」。共有についての決定を下すのはサーバー管理者とメンバーだ。これに対しフェイスブックやグーグルなどの中央集権型プラットフォームは，今日当たり前になってしまった企業による監視モデルによってトップダウンで決定を下している。

ザッカーマンとMITメディアラボの同僚たちは，ゴボという有望なプラットフォームにも取り組んでいる。ユーザーは，フェイスブックやツイッターなどのプラットフォームのアルゴリズムを微調整して，性別，地理，時系列，その他の条件で投稿をフィルタリングできるようになる。この機能により，ユーザーはアルゴリズムが「魔法のように自動的に」私たちに見せてしまっているものを，よりコントロールできるようになるかもしれない。たとえば，多くのハイテク空間は男性が支配している。しかし，ザッカーマンによると，ゴボはそのような経験を一時的あるいは望むだけの間変えることができ，「私のフィードにもっと女性の投稿を表示させたい」とか「男性を全部ミュートして！」といったことさえも可能になるという。

ワールドワイドウェブをつくったコンピュータ科学者のティモシー・バーナーズ・リーもまた，インターネットの現在の方向性，特にデータを盗聴してオンライン上の経験をコントロールする媒介者の台頭に不満をもっている。この発明家は分散型インターネットに戻りたいと考えている。本書の取材で話を聞いたほぼすべてのインターネットの先駆者たちも同様だった。バーナーズ・リーは，MITの仲間とここ数年取り組んできた分散型ウェブプラットフォーム「ソリッド」をベースに構築したスタートアップ企業「インラプト」を立ち上げようとしている。インラプトは私たちがよく使うアプリケーションのすべてを提供する。カレンダー，チャット，動画閲覧，検索，Siriのような仮想アシスタントまでがグーグル製品のようなパッケージになっている。大きな違いは，企業ではなくユーザーが個人データをコントロールできるという点だ。大手ハイテク企業はどう受け止めるだろうか？ 「フェイスブックやグーグルと，一晩ですべてのビジネスモデルを変えるような完全な変化を導入するかどうか話し合っているわけではない」とバーナーズ・リーは言う。「彼らの許可は必要ない」。

デジタルのインクルージョン，組織のインクルージョン

2018年10月，元アメリカ司法長官のエリック・ホルダーが開会スピーチを行った会合で，本書のアルゴリズム，司法，バイアスに関する研究を発表する機会があった。

出席した多くのビジネスリーダーたちは，テクノロジー業界を含む企業の世界で，ダイバーシティとインクルージョンがますます話題になっていることに関心をもっていた。ホルダーのスピーチの最後に，私は質問した。「暗黙のバイアスがシステムの隠された青写真になり，それに基づいてAIが機能し，あらゆる形態のテクノロジーが設計されるようになってしまったら，私たちはどうすればよいのだろうか？」。

私たちは皆，多少の暗黙のバイアスをもち合わせている。バイアスは意識の前面には出ていない。通常，それは潜在意識的なものであり，自分が保持すると信じている価値観と矛盾していることさえある。意識的に保持

している信念と比較すると，暗黙のバイアスは思考の裏で実行される精神的なショートカットや習慣のようなものだ。その存在に気づかずに，世界やそのなかにいる人々についての意思決定や予測を行うために私たちはステレオタイプを使用するのだ。それでも注意を払えば，行動のなかにある暗黙のバイアスをキャッチすることができる。たとえば，エンジニア候補者の面接で，女性の応募者は経験が浅い，または訓練が足りないと仮定した場合などだ。研究では，暗黙のバイアスを測定できるし，増加しつつある人種的バイアスが警察による銃撃事件の発生や乳幼児の健康問題に影響を与えていることが示されている。

暗黙のバイアスが「AIシステムの機能を決める青写真」であると示唆することで，私が意味したかったのは，ほとんどの学習アルゴリズムは与えられたどんな小さい情報でもカテゴライズするようにされているし，そこで用いられているカテゴリーは人間によってつくられたものである以上，必然的に私たちの文化がもつバイアスをある程度反映しているということだった。プロパブリカは最近，広告主がターゲットできるカテゴリーとして，フェイスブックが2万9000種以上のものを提供していることを発見した。その多くは，文化とステレオタイプの広大な世界が存在することを想定しなければまったく意味をなさないようなものだ。たとえば，「ママ」カテゴリーには，「環境を重視するママ」「会社のママ」「家にいるママ」「健康なママ」「大都会のママ」「トレンディなママ」などが含まれる。なぜ「働くママ」や「プロフェッショナルのママ」ではダメなのか。

ホルダーは，テクノロジーとバイアスについての私の質問に驚きながらも興味をそそられたようで，私が話している間，何度もうなずいていた。彼は，人々に暗黙のバイアスを現実の問題として認識してもらうための努力は，「意思決定の木のトップ」，つまり最初に検討すべき問題であるべきだと語った。そこから初めて，テクノロジーに焼きつけられた社会のバイアスを克服することができるのだという。

意思決定の木の頂点に立つためにできることはいくつかある。学校であれ専門家向けのトレーニングセッションであれ，教育モデルのなかに，不公平やバイアスに対する意識を確実に強化し，そのようなバイアスが存在することを示す科学的な作業を導入することができる。しかし，私たちは今すぐにでも，意見が採り上げられていないグループの人々を権力の立場に置くことで，バイアスを克服することもできる。テクノロジーの設計者や創造者を交代させることで，意思決定が行われる構造そのものを変えることができるのだ。

シリコンバレーでは，女性や人種的マイノリティの参加がいまだに大きな問題となっている。しかし，カリフォルニア州では，2018年に制定された法律ですべての企業に女性の取締役会参加を義務づけるなど，改善のためにいくつかの措置を講じている。これは賢明なことだ。この施策は，取締役会に女性を含む企業が，純利益と業績の面で，そうでない企業を少なくとも10％上回ることを示す調査結果に基づいている。

テール・ベンチャー・パートナーズというベンチャー投資企業のパートナーであるエド・ジーン・ルイスに話を聞いた。ジーン・ルイスはハイチ系のアフリカ系アメリカ人で，UCLAのアンダーソン・スクール・オブ・ビジネスでMBAを取得したのち，成功を収めてきた。しかし，彼はビジネスで単にお金を稼ぐだけではなく，それ以上のことをしたいと決意している。ジーン・ルイスの会社は，テクノロジー分野を含む企業のマイノリティ出身の創業者に資金を提供することに重点を置いている。ジーン・ルイスは語った。「彼らは多様な世界観や視点をもつ有能な候補者であり，より高度なものを築き上げてくれるだろう。データがそれを裏づけている」。

では，その証拠とはどのようなものなのだろうか。第一に，チームは常に個々の意思決定者を上回るパフォーマンスを発揮し，業績と収益の向上に貢献している。『フォーブス（*Forbes*）』誌が600社以上の企業を対象に行った調査では，性別の異なるメンバーで構成されたチームは73％の確率で個人を上回り，年齢や所在地が異なる人々を含むチームは87％の確率でよりよい意思決定を行うことが判明している。マッキンゼー・アンド・カンパニーによる最も決定的な調査は，企業のリーダーに多様な人種や性別を含むことが業績と強い相関関係をもつことを示している。イギリス，ラテンアメリカ，カナダ，アメリカの数百の企業と数千人の役員から収集したデータを分析した結果，多様性のある経営陣と財務成績との間に統計的に有意な関連性があることがわかった。多様性という観点から上位4分の1の企業を考えてみよう。性別の多様性を高めると15％，人種・民族の多様性を高めると35％，財務上の利益で業界の中央値を上回った。研究の結論の通り，「多様性の高い企業は，トップの人材を獲得し，顧客志向，従業員満足度，意思決定を改善でき，利益の増加という好循環につながっている」。

このように，テクノロジー企業を含む組織は，あらゆるレベルで多様性を確保しなければならないというのは当然のことのように思える。しかし，人間の習慣や行動を変えることは簡単ではない。単に「変化すれば世界はよりよい場所になる」と示すよりも，はるかに時間のかかるプロセスだ。ハイテク業界において多様性を高めることは，まだ完全には受け入れられていない。多くの指導的地位（だけでなくシリコンバレー全体）に女性やマイノリティがいないことがそれを証明している。最近の調査によると，アップルでは従業員の21％がアジア系，9％が黒人，13％がヒスパニック，3％が複数の人種に属し，54％が白人という結果が出ている。アップル社独自の記録によると，技術系の従業員に占める女性の割合は23％に過ぎず，従業員全体でも32％だ。グーグルでも同じような数字で，同社では白人が56％を占めている。

バックステージ・キャピタルやその創設者であるアーラン・ハミルトンのように，多様性の問題に取り組むためにベンチャー投資ファンドを設立した組織もある。ハミルトンの会社は約4000万ドルを，女性，人種的マイノリティ，性的少数者が創設した80以上の企業に投資した。黒人女性は，今日の資金調達において最も疎外された存在であり，全体の0.2％しか受け取れていない。

しかし，ハミルトンのような出資者が『フォーブス（*Forbes*）』のようなビジネス誌に掲載されたり，スターバックスのハワード・シュルツのような大物と並んで会議に招かれて講演したりするとしても，もう一度重要な問題に立ち返ることが有益である。人種的マイノリティ，女性，その他の弱者をシステマティックに傷つけるような経済のなかでのインクルージョンと多様性は，タイタニックの船上でデッキチェアを並べ替えるようなものかもしれない。投資家やCEOがこれまで以上に裕福になり，ほかのすべての人を犠牲にしているような搾取的なシステムに，黒や茶色の顔を認識させるだけで問題は本当に解決されるのだろうか？　どういう見かけかではなく，私たちの未来を定義する構造に，どのような関係をつくり上げるべきかを考えなければならない。

しかし，食物連鎖の頂点にいるのは，テクノロジーのエコシステムに資金を提供し，管理し，構築する人々だ。ジーン・ルイスは，これらの権力のある立場にある人々の多様性を高めるような変革が必要だと私に語った。結局のところ，私たちのデジタルの未来を担当する人々は，私たちの多様性を代表しているべきではないだろうか。しかし，大きな権力をもつ人々がそれにしがみつきたがるのには，心理的，政治的，経済的，社会的な強力な理由がある。このことは，私たちをじらすような問題を提起する。多様性は，それを脅かしてきた私たちの世界のシステムそのものに挑戦する価値に，本当になりうるのだろうか？

社会学者のフィル・アグレは20年近く前の力強い論文のなかで，浅い多様性と深い多様性の区別を明らかにしている。この二つの概念を彼は情報経済と自由市場に関連づけて発展させた。浅い多様性とは，すべて受動的なインクルージョンであり，新しい顔や姿を，既成のシステムにはめ込むことであり，変化や深い変容に開かれていない。一方，深い多様性とは，かけ離れた世界観，経験，言語，伝統，視点が出合うことを意味する。

深い多様性を実践していくなかで，組織は重要な基本的な問いを投げかけられるようになる。組織が何のためにあるのか，何に価値を置くのか，現状とどのように似ているのか（あるいは違うのか），さらにはテクノロジーをどのように構築し，どのように構想しているのか。アグレが説くように，「差異と出合うことによってのみ，自分の思い込みに疑問を抱くことができる。差異と出合うことによってのみ，自分の頭のなかと現実世界の過激な奇妙さや問題との距離が理解できるようになる」。

結論

科学とテクノロジーは進歩し続ける。私たちの構築したナノテクノロジーは，原子や分子を制御してものをつくるし，それらはかつて部屋全体を占めたコンピュータよりはるかに高速になっている。さまざまな分野で人間の能力を模倣し，さらにそれを超えるロボットが生み出された。世界チャンピオンの囲碁棋士を打ち負かすことができるグーグルのアルファ碁のようなコンピュータプログラムから，人間の労働を肩代わりする自動化されたシステムや機械まで，これらのブレークスルーが私たちの世界にとって何を意味するのかを考えてみると，生物学的なものとテクノロジー的なものがもはや切り離されたものではなくなる。人間と機械のサイボーグ的な融合というところまで私たちが近づいていることがわかる。誰に尋ねるかにもよるが，これは人類にとって驚くべき偉業なのだろうか，それとも種全体にとっての恐るべき悪夢の始まりなのだろうか。

しかし，テクノロジーが善か悪かというような単純なアプローチを超えて，もっと重要な問いかけをすることができるのではないだろうか。その問いかけは，テクノロジーがどこに向かうかということだ。それは倦怠感（けんたい）

を乗り越えて，我々を興奮させ行動を促すような種類の問いだ。これらの強力なテクノロジーは誰のイメージでつくられているのか？　誰の利益のために？　テクノロジー革命を猛スピードで推進している人たちがまだ征服していない道は残されているのだろうか？　そして，その「征服」に組み込まれた力学とは何なのか。社会的，文化的，心理学的，さらにはスピリチュアルにテクノロジーが何を意味するのかをあまり考えずにテクノロジーを想像し発展させるよりも，どうすれば私たちの世界が癒やされ，より平等で，尊厳のある，バランスのとれたものになるのかを率直に知りたくはないだろうか。

2018年，テクノロジーライターのダグラス・ラシュコフが投資銀行家のグループに「テクノロジーの未来」について講演を行った。彼はそのグループがテクノロジーに投資するかしないかという具体的な「二項対立の選択」に関心をもち，テクノロジーの潜在的な影響にはあまり関心をもたないだろうと予想し，その通りになった。ラシュコフが驚いたのは，グループのメンバーの多くが「環境崩壊，社会不安，核爆発，感染拡大を止められないウイルス，あるいはすべてを破壊するミスター・ロボット*のハッキング」といった事象を「イベント」と呼んで平気で話していたことだった。

このシナリオは，SF小説のようにも聞こえる。しかし，実は現実に起こりうるものなのかもしれない。ピーター・ティールやイーロン・マスクのような億万長者がデジタルの未来にアプローチしているのが，人類を進歩させたり，気候変動による災害から世界を守ったりするためではなく，迫り来る破滅に備えて自分たちの資源を確保するためだったらどうだろうか？　ラシュコフの話は，自分たちの利益を最優先するティールやマスクのような人物に頼るのは甘いということを教えてくれている。だからこそ，デジタルの世界がよりバランスのとれたものになるよう，私たち全員が歩みを進めなければならないのだ。

テクノロジーがその手の届く範囲を広げ,「発展」の端っこにいる人たちを巻き込んでいくなかで，私たちは誰もが一旦立ち止まって，この新たに生み出された道の先,「シリコンバレーの外」の声に耳を傾けるべきだ。同時に，次のテクノロジーの時代にリーダーシップを発揮できる世界の多様性は，これまで以上に大きく，深く，豊かなものになる可能性がある。オアハカからカンパラ，ロンドン，北京（後者の2都市は世界で最も監視されているといっても過言ではない）に至るまで，私たちはテクノロジーに関する経験の幅を広げ，テクノロジーが人々に提供できる可能性をこれまで以上に大きく感じている。誰がどのような目的で構築したものでもテクノロジーは中立的で，優しくすらあるという神話は，本書で紹介してきた物語に目を向ければ一挙に覆すことができるだろう。

これまでたった30年の間に，シリコンバレー（やそれよりは少ないが中国も）にいる少数の人々は，私たちの社会や政府，さらには私たちがどのように感じ，どのように行動し，どのように自己認識するかを，再設計することに成功した。グローバルなハイテク産業の現場を調査してみると，これが完全に結晶化した進化の姿を見ることができる。一部の人にとっては未来的な（もしかしたら人間不信に陥るような）夢であり，ほかのほとんどの人にとっては悲惨な状況だ。産業が構築と投資を続け，やがて事業が解体されて自動化されたシステムや（必要なら）新しい，より安価な，あるいはより収益性の高い世界のどこかへと移行していく。

私たちは今，この呪縛された眠りから目覚めようとしている。私たちの現在と未来のテクノロジーに対して，私たち全員が声を上げ，力を発揮できるようにするには，どのような代替的なビジョンがあるのだろうか。私

---

*ハッカーが主人公のドラマ。

たちは，疑念や不必要な競争ではなく，協力という価値観のなかにそれらを定着させることができるのだろうか。人間関係，人間の繁栄，人間の社会性のためのモデルは，今では強大なテクノロジー産業を支配しているトップダウン，搾取，征服のパラダイムを超えて，どのようなものが存在するのだろうか。私はこの本のなかで多くの事例を共有してきたが，それはほんの手始めに過ぎない。結局のところ，これは未来の設計という冒険なのだ。私たちはともに創造者として歩もう。

▮ 著者

ラメシュ・スリニヴァサン／Ramesh Srinivasan

カリフォルニア大学ロサンゼルス校（UCLA）の情報学とデザイン学／メディアアートにおける教授。70カ国以上で，インターネットやソーシャルメディア，AIといったニューテクノロジーと政治経済，社会生活との関係について研究。NPR（ナショナル・パブリック・ラジオ）でレギュラーを務めるほか，書籍も多数出版。著書に『*Whose Global Village? Rethinking How Technology shapes Our World*』（New York University Press）などがある。

▮ 監訳者

大屋雄裕／おおや・たけひろ

慶應義塾大学法学部法律学科教授。東京大学法学部卒業。同大学助手，名古屋大学大学院法学研究科准教授などを経て現職。専門は法哲学。総務省情報通信政策研究所特別研究員などを兼ねる。主な著書に『自由か、さもなくば幸福か？：二一世紀の〈あり得べき社会〉を問う』（筑摩書房），『裁判の原点：社会を動かす法学入門』（河出書房新社）などがある。

▮ 訳者

田村豪／たむら・ごう

早稲田大学大学院卒。辞典などの校正者として働くほか，翻訳にも従事している。ボルヘス，フィリップ・K・ディックを愛読。通訳案内士（英語），応用情報技術者，FP2級，第1種衛生管理者，第2種電気工事士。

シリコンバレーを越えて

下

2021年7月15日発行

著者　ラメシュ・スリニヴァサン
監訳者　大屋雄裕
訳者　田村豪
翻訳，編集協力　株式会社オフィスバンズ
編集　道地恵介，山口奈津
表紙デザイン　岩本陽一
発行者　高森康雄
発行所　株式会社 ニュートンプレス
〒112-0012 東京都文京区大塚 3-11-6
https://www.newtonpress.co.jp

ISBN　978-4-315-52398-0